LE 13ᵉ DRAGON

Il y a aussi *Neuf autres dragons* sur notre site
ainsi que *Le chevalier et le dragon*, visitez-les à :
www.soulieresediteur.com

De la même auteure :

Une bougie à la main, collection Boréal Inter, aux éditions du Boréal, 2010

Simon et la porte de fer, illustré par Marion Arbona, collection Trouvailles aux éditions Trampoline, 2009

LE 13e DRAGON

un roman de
Gisèle Desroches

SOULIÈRES ÉDITEUR
www.soulieresediteur.com

case postale 36563— 598, rue Victoria
Saint-Lambert (Québec) J4P 3S8

Soulières éditeur remercie le Conseil des Arts du Canada et la SODEC de l'aide accordée à son programme de publication et reconnaît l'aide financière du gouvernement du Canada. Soulières éditeur bénéficie également du Programme de crédit d'impôt pour l'édition de livres – Gestion Sodec – du gouvernement du Québec.

Funded by the Government of Canada   Financé par le gouvernement du Canada | **Canadä** [+]

Dépôt légal : 2016

Catalogage avant publication de Bibliothèque et Archives nationales du Québec et Bibliothèque et Archives Canada

Desroches, Gisèle, 1951-
Le 13e dragon

(Chat de gouttière ; 56)
Pour les jeunes de 9 ans et plus.

ISBN 978-2-89607-348-1

I. Titre. II. Titre : Treizième dragon. III. Collection : Chat de gouttière ; 56.

PS8607.E77T73 2016   jC843'.6   C2015-942014-8
PS9607.E77T73 2016

Illustration de la couverture :
Jean-Paul Eid

Conception graphique de la couverture :
Annie Pencrec'h

*À Florent et à Florie, à Loa et à Sophie
et à mes autres petits chéris.*

Avertissement

Ce roman est construit à la manière d'un vol de dragon : il avance par cercles concentriques tout en se rapprochant du dénouement. S'il vous semble parfois tourner en rond, c'est qu'il expose des points de vue légèrement différents du même événement, ce qui vous permet de douter. De déceler des zones floues. De vous faire votre propre opinion. Le vol en spirale d'un dragon n'a pas d'autre but que de mieux cerner la proie dont il se rapproche.

INTRODUCTION

Les dragons, c'est bien connu, peuvent voler.
Moi aussi, même si c'est beaucoup
moins connu.
Et c'est tant mieux comme ça. Je ne tiens pas
à ce que ça se sache.
Je vous le dis, à vous, lecteurs, mais vous ne
le croirez pas.
Alors ça ne compte pas.

Les dragons sont beaucoup plus connus que moi
et c'est tant mieux.
Mais connaissez-vous bien le comportement
des dragons ?
Comment ils attaquent, ce qu'ils protègent,
ce à quoi ils tiennent plus que tout ?
Quel est leur point faible ?
C'est important à savoir, non ?
Vaut mieux savoir quoi faire
s'il s'en présentait un.
Capturer un dragon est extrêmement rare.
Réussir à en apprivoiser un, encore plus rare.
C'est ce qui est arrivé au jeune héros dont vous
vous apprêtez à lire l'histoire.
Même si ce n'est pas du tout
ce que vous imaginez…

Chapitre 1

La classe 113
ce matin-là

La directrice galopait comme elle le pouvait dans le corridor de l'école, ralentie par des semelles glissantes et par sa corpulence impressionnante. Elle était flanquée du concierge qui traînait une vadrouille mouillée par terre derrière lui. Thomas se plaqua contre les casiers. De loin et sans s'arrêter, la directrice lui demanda ce qui se passait. Il fit un geste vague en direction de sa classe où les deux adultes s'engouffrèrent sans plus s'occuper de lui, laissant la porte ouverte comme s'il était évident qu'il allait les suivre. Thomas entendit le chahut de la classe en délire et les cris de la directrice tentant de rétablir l'ordre. Il eut peur qu'un autre élève ne sorte et ne l'aperçoive dans le corridor. L'idée de s'enfuir bien vite et bien loin le frappa comme une décharge électrique. Il se retrouva sur le trottoir, devant l'école, avant même d'avoir pu aligner deux pensées sensées.

Où aller ? Où aller ?

Thomas sentait l'urgence de s'enfuir, mais ne savait ni où ni comment. Tout droit. Il traversa la route, s'engagea dans l'entrée de garage de la maison d'en face, longea la haie de la résidence et traversa la cour arrière qui se prolongeait par un champ de maïs. Une large planche enjambait le fossé. Il fut dans le champ en moins de deux. Il réussit à se frayer un passage entre les rangées de plants de maïs plus hauts que lui. Les tiges étaient piquantes, très rapprochées, sèches et craquantes. La terre était bosselée et inégale, mais c'était nettement plus sympathique qu'une classe en délire, que des camarades excités qui tentaient de le pousser ou de le gifler, qu'une enseignante qui n'en finissait plus de crier.

Ici, plein de soleil et d'ombre, de la terre et des feuilles blondes. Il fait doux pour la saison. Les épis dégagent une odeur sèche qui donne envie d'éternuer. Thomas ralentit bientôt, il est arrivé au bout du champ. Il y a un ruisseau. Pas de

passerelle en vue. Comment traverser ?
De l'autre côté, il y a la forêt. La sécurité.
Le grand calme vert.

Après avoir longé le bord du fossé,
Thomas choisit un endroit où il peut poser
le pied sur une pierre. Il mouille un peu
une de ses chaussures, mais réussit sans
difficulté à grimper sur l'autre versant
du fossé. Une fois dans la forêt de pins,
il fait quelques pas, s'allonge par terre. Il
respire un bon coup. Ça sent bon et frais.
Il reprend haleine.

Allongé par terre, on a des branches
de pin plein la vue. Le ciel bleu au-dessus. Vert profond sur fond bleu intense.
Des bruits d'insectes et de vent. Que des
choses tranquilles. Qu'est-il donc arrivé ?

Thomas tente de se rappeler l'ordre
des événements. Pour comprendre. Il
ferme les yeux, laisse sa respiration revenir à la normale. Les images reviennent
en rafales et en désordre. L'avion de papier. La sensation de tomber. Le tableau
qui semble gondoler. L'appel de l'enseignante. Ses cris. Sa colère. Une sensation
fabuleuse de légèreté. L'envie de rester
là pour toujours. Ailleurs. Comme s'il était
un autre. Un autre que lui se tenait devant
elle, un autre se faisait disputer.

15

Jamais pareille chose ne lui était arrivée. Ni à lui ni à personne à sa connaissance. Il n'a jamais même entendu parler d'un tel phénomène. Est-ce ce qu'on appelle avoir des visions ? Est-il devenu fou ? Est-ce une maladie ? A-t-il commencé à disparaître ? Va-t-il mourir ?

Du bout des doigts de sa main droite, Thomas touche son bras, celui que Mademoiselle a tenté de pincer. La main de l'institutrice s'est refermée sur elle-même. Sur du vide. Il se rappelle l'étrange sensation éprouvée lorsque mademoiselle Laure-Élyse a touché son bras. Traversé son bras ? Il n'a pas senti la douleur. Il n'a rien senti, en fait. Il n'y avait que du vent. Du vide. Un léger courant d'air, peut-être, c'est tout.

L'enseignante était restée saisie. Thomas regarde son bras, le touche du bout des doigts. Il est tiède. Il y a la sensation normale de la peau, comme d'habitude. Il presse les doigts. Une solidité, on sent un bras. Rien à redire. Tout est en place. Thomas promène ses mains sur son corps, partout. Il a son corps habituel. Il le ressent comme d'habitude. Solide. Bras et jambes peuvent bouger normalement. Les orteils de son pied droit, mouillés, sont froids. Normal. Thomas retire son soulier de course pour le faire sécher.

Il se rappelle la scène comme vue de haut, comme s'il était dans le coin du plafond opposé à la porte. Ce qui était arrivé était trop bizarre. L'affaire la plus bizarre qui ne lui soit jamais arrivée. L'idée lui vient qu'il peut peut-être passer à travers les choses. Il est peut-être dans un monde magique. Ou dans un rêve. La main de mademoiselle Laure-Élyse a pu passer à travers lui, mais lui, peut-il traverser quelque chose ? Un mur par exemple ? Un arbre ?

La scène du film de Harry Potter traversant une colonne de ciment dans la gare de King's Cross lui apparaît clairement à l'esprit. Il se lève d'un coup. Il s'approche clopin-clopant du tronc d'une grosse épinette, résolu à passer de l'autre côté. Ça alors, il serait peut-être lui aussi un sorcier ? 1, 2, 3 Fonce ! Son front heurte l'écorce rude de l'arbre et, malheureusement, ayoye ! Thomas ressent une vive douleur. Une petite bosse sensible commence déjà à apparaître.

Peu de chance de savoir vraiment, puisque le phénomène a cessé. Si phénomène il y a eu. Il ne se rappelle pas comment il est sorti de la classe... ni de l'école. A-t-il traversé la porte ? Ou l'a-t-il ouverte ? Est-ce que ça va recommencer ? Une vague d'angoisse glacée le fait soudain frissonner.

Que faire maintenant ? Que diront ses parents lorsqu'ils apprendront ça? François, son beau-père, croira encore qu'il a voulu faire l'intéressant. Il prend toujours pour Louis-Éric, son fils, sans s'apercevoir que celui-ci en profite pour lui raconter ce qu'il veut. Et Thomas est absolument certain que la version de Louis-Éric ne sera pas à son avantage.

Si c'est mademoiselle Laure-Élyse qui téléphone à la maison la première, Thomas aime mieux ne pas penser à la façon dont elle présentera les choses. Catastrophe assurée. Il vaut sans doute mieux raconter le premier sa version. À son père ? Il n'a pas de téléphone et lorsqu'on essaie de le joindre sur les chantiers où il travaille, ça prend chaque fois des heures. Ou presque. À sa mère d'abord. Oui.

D'habitude, Mado comprend bien les explications, même confuses, pas besoin de préciser, de répéter. Elle console d'abord et fait la leçon ensuite. Si nécessaire. Mais cette fois, elle dira peut-être qu'il est fou. Ou elle ne le croira pas.

Madeleine enseigne le piano au collège de la ville voisine. Aujourd'hui, vendredi... à quelle heure donne-t-elle sa première leçon ? Thomas regrette de ne pas avoir fait assez attention à l'horaire de sa mère... Se rendre au collège et l'attendre là ? Comment s'y rendre sans attirer l'attention ? Sans argent pour prendre l'autobus. Thomas décide de se diriger plutôt vers la maison. Il en a la clé. Ce n'est pas si loin. Avec de la chance, elle sera là. Ou alors elle y sera dans peu de temps. Sinon, il pourra toujours lui téléphoner de la maison.

Voilà.

— Je fais comme ça, se dit-il, remettant sa chaussure et déterminé à tirer au clair cette trop bizarre affaire.

Chapitre 2

Le rapport de police

2013-11-13 : RAPPORT SUR L'INCIDENT de L'ÉCOLE PRIMAIRE LA CIGALE rédigé par l'agent Mirella Dionne

13 heures 33 : Un appel du Central me dirige vers l'école La Cigale, située au 67 boul. Matt. Je patrouille seule ce jour-là. Une ambulance a été appelée. Un incident impliquant une enseignante vient de se produire dans le local 113.

13 heures 39 : Je suis accueillie par le concierge. L'ambulance est dans l'entrée principale, gyrophares allumés, sans conducteur. Le concierge m'ouvre et m'escorte jusqu'au local 113, qui se trouve au rez-de-chaussée, à une vingtaine de mètres de l'entrée principale, près de la sortie donnant sur la cour arrière. Le corridor est vide et étrangement silencieux. Je peux voir, en passant, que les vitres de certaines portes de classe

21

sont obstruées par des cartons noirs, comme prévu en cas de confinement[*]. De la classe 113 émergent des bruits de voix confus. La porte est entrouverte. En entrant, j'aperçois d'abord une civière par terre, portant le corps inanimé d'une femme. Deux ambulanciers s'affairent auprès d'elle ; l'un d'eux fixe un masque à oxygène sur son visage. Les enfants sont agités, entourent les ambulanciers de trop près. Je les fais reculer. Ils parlent tous en même temps, quelques-uns montent sur leur chaise ou sur leur pupitre. Une femme imposante tente de les rappeler à l'ordre. Une fillette pleure. Un élève s'acharne à taper sur son pupitre. Des petits papiers voltigent dans les airs ici et là, jonchent le sol. Un enfant crie en me montrant la porte de la classe : Il est parti par là ! Il est parti là !

Je pense immédiatement à un rôdeur, à un tireur actif qui se serait enfui après avoir tiré sur l'enseignante. Je jette un œil avec précaution dans le corridor qui semble calme et vide. Je de-

---

[*] Confinement : mesure de sécurité qui consiste à soustraire les élèves de la vue d'un tireur fou ayant pénétré dans l'école, afin de les mettre à l'abri de tirs éventuels.

mande à l'adulte qui est là (il s'agit de la directrice) si quelqu'un s'est introduit dans l'école. Elle me répond que non, pas du tout, il ne s'agit pas de ça. L'alerte au confinement est une erreur, dit-elle. Je reste quand même sur mes gardes et j'ordonne qu'on déclenche les procédures.

— C'est bien ça le problème, me dit celle qui s'identifie comme la directrice de l'école. Le code noir a déjà été déclenché par erreur. C'est mon concierge...

Les ambulanciers relèvent alors la civière et l'emportent en la faisant rouler rapidement hors de la classe pendant que la directrice, madame Marguerite Metraya, réussit tant bien que mal à rétablir le calme en donnant l'ordre aux enfants de dessiner ce qu'ils ont vu de l'incident. Les élèves regagnent leur pupitre. Voici ce que madame Metreya me rapporte pendant ce temps :

À 13 heures 15, elle a reçu un appel sur le système de communication interne de l'école, provenant de l'enseignante de la classe 113 : Mlle Laure-Élyse Laurier. C'est elle que les ambulanciers ont emmenée sur la civière. Cette dernière prétendait qu'un enfant de la classe était un « démon ». C'est tout ce que la directrice a réussi à comprendre du charabia de l'enseignante, anormalement agitée et confuse. La directrice s'est alors précipitée au local 113, accompagnée du concierge. Tous les deux, en arrivant sur les lieux, ont constaté l'extrême pâleur de l'enseignante qui tenait des propos incohérents. Elle se serait effondrée sur le sol quelques secondes plus tard. Après avoir tenté en vain de la réanimer, la directrice a ordonné au concierge, monsieur Serge Bolduc, d'appeler les secours. Monsieur Bolduc a alors signalé le 911 où on l'a transféré au Central de police. Il aurait également, de sa propre initiative, lancé le code noir dans toute l'école, déclenchant des mesures de confinement, tel que prévu en cas d'attaque d'un tireur actif.

Les fenêtres du local 113 donnent sur la cour qui est vide au moment de ma visite. La directrice répète que la procédure du code noir a été lancée par erreur. Monsieur Bolduc a compris que l'enseignante d'anglais, mademoiselle Laure-Élyse Laurier, parlait d'un intrus ressemblant à un fantôme ou à un diable... alors que madame Metreya pense plutôt que l'enseignante était victime de visions, d'hallucinations.

Nous décidons, puisque je suis sur les lieux, de donner suite à l'exercice. C'est, dit-elle, une belle occasion de répéter sans danger les procédures en cas d'intrusion dans l'école. Elle se charge d'annuler l'appel logé à l'externe, aussitôt qu'elle sera de retour à son bureau.

Je questionne la directrice sur la crise de l'enseignante. La directrice en ignore les raisons pour le moment ; elle croit à un possible AVC : les symptômes de confusion et la perte de conscience la portent à croire qu'il s'agit d'un problème de santé. Quant à savoir ce qui s'est passé au juste, elle suggère que nous procédions à l'interrogatoire des élèves aussitôt que leurs dessins seront achevés.

Constatant qu'il est l'heure de la récréation, elle suggère que nous procédions auparavant à la libération des enseignants et des élèves confinés dans leurs locaux*. Je remets donc à plus tard l'interrogatoire des élèves du lo-

---

* Lorsque les mesures de confinement sont déclenchées, l'enseignant doit obstruer la fenêtre donnant sur le corridor et fermer la porte de son local à clé. Il doit rassembler ses élèves dans le plus grand silence, loin des fenêtres et de la porte, et attendre que la police vienne déverrouiller la porte et leur ordonne d'évacuer.

cal 113 et j'accompagne le concierge qui m'ouvre les portes des classes une à une. J'ordonne aux enseignants de faire sortir les élèves calmement et en silence dans la cour. Il y a six classes au rez-de-chaussée et sept au deuxième étage. Une des classes est vide. Un groupe d'élèves était au gymnase au moment de l'alarme. Ils se sont réfugiés sur l'estrade derrière la scène, tout au fond, et nous mettons un moment avant de les localiser.

Après avoir fait le tour de l'école, je sors dans la cour où les élèves sont réunis en silence, en rangées plus ou moins ordonnées. La directrice me rejoint et adresse quelques mots aux élèves. Elle les félicite et les fait vite rentrer en classe pour chercher gilets et collation, car c'est l'heure de la récréation. Une enseignante signale un élève manquant. C'est un élève de la classe 113.

La directrice se souvient de l'avoir aperçu dans le corridor juste avant de découvrir l'enseignante d'anglais en crise. Il s'agit d'un enfant sans problème, dit-elle. Il venait probablement chercher de l'aide, pense-t-elle, il se serait caché quelque part, ou serait allé aux toilettes.

Je parcours à nouveau, en compagnie du concierge, tous les locaux de l'école où aurait pu se réfugier un enfant apeuré. Je visite les toilettes, le sous-sol et je fais ouvrir tous les placards. Sans trouver l'élève manquant. Il est alors quatorze heures trente-neuf. Les autobus scolaires sont attendus pour quinze heures dix.

Je propose de procéder à un interrogatoire rapide des élèves avant leur départ ; je veux leur version de l'incident entourant l'enseignante d'anglais, je veux savoir si la disparition de l'enfant est liée à cet incident.

Je retourne donc en compagnie de la directrice dans le local 113 pour y interroger les élèves. Madame Julie Tétrault, l'enseignante titulaire du groupe 113, est présente. Les enfants affirment que Thomas Jensen a disparu juste avant que mademoiselle Laure-Élyse ne tombe dans les pommes. Il était présent au début des cours de l'après-midi. Il n'a pas été revu en classe depuis l'incident. Des élèves racontent qu'il se faisait disputer, qu'il s'est volatilisé ou encore qu'il est passé à travers les murs ou autre délire du même genre ; que l'enseignante était furieuse après lui. Madame Metreya me répète avoir croisé l'élève manquant dans le corridor vers 13 heures 30.

14 heures 43 : Il est convenu que je reste dans la classe pendant que la directrice tente de rejoindre les parents. Je demande aux élèves une description de l'enfant disparu et je lance immédiatement, à partir de mon cellulaire, un appel au poste 13 pour signaler sa disparition, lancer le protocole de recherche et demander du renfort.

L'enseignante Julie Tétrault était en période libre dans la salle des enseignants pendant le cours d'anglais. Elle rapporte que les élèves lui ont confirmé que Thomas était en train de se faire réprimander par Mlle Laure-Élyse, lorsque l'institutrice a appelé la direction sur l'interphone. Cela expliquerait peut-être son manque de motivation à revenir en classe. Je commence à recueillir les témoignages des élèves un à la fois, ainsi que leurs dessins.

14 heures 45 : j'aperçois les gyrophares d'une voiture de patrouille dans la cour, devant le local que nous occupons.

Deux agents du poste 14 en descendent, l'arme au poing. Ils font irruption dans la classe quelques secondes plus tard. Je leur demande si on a retrouvé l'enfant. Ils m'ordonnent de jeter mon arme qui est restée dans son étui à ma ceinture et de lever les mains. Il s'agit des agents Drouin et Pérusse comme l'indique leur badge.

Je proteste et explique qu'il s'agit d'une erreur, je décline mon identité. Ils brandissent leur arme et m'en menacent, répliquant qu'on obéit d'abord et qu'on s'explique ensuite. Je reconnais la procédure apprise en cas d'intrusion d'un inconnu dans une école et j'obtempère en levant les bras, pensant que la confusion au sujet de mon identité sera vite dissipée et que les patrouilleurs reconnaîtront leur erreur. J'ordonne aux élèves de se cacher sous leur pupitre. Ce qu'ils font avec un empressement variable.

Les deux agents font preuve d'une violence excessive à mon égard, me poussant et me tordant un bras. Ils me maîtrisent rapidement et me jettent par terre, où ils me menottent les mains dans le dos. L'un d'eux appuie avec force un pied sur mes reins, me faisant suffoquer. Je les entends communiquer avec le poste. À ce moment, la trompette[*] est déclenchée, tout près de mes oreilles, ce qui achève de semer la confusion dans le vacarme le plus total.

Après de longues minutes inconfortables et douloureuses, on me détache et je me relève. La douleur à mes oreilles est si intense que j'arrive difficilement à me tenir debout. L'agent Drouin me parle, mais je ne saisis pas ses paroles. Je vois ses lèvres bouger, mais je n'entends pas le son de sa voix. Pas plus que celle des enfants, accroupis au fond de la classe, serrés autour de leur enseignante. Je n'entends aucun autre son qu'un bourdonnement aigu dans mes oreilles. Je suis étourdie. Je vérifie, malgré tout, l'identité des agents, qui est conforme.

15 heures 13 : Je signale l'incident tant bien que mal dans mon cellulaire, mais j'ignore si le message est bien reçu. Je n'entends même pas ma propre voix.

---

[*] Trompette : bombonne dotée d'une alarme assourdissante que les enseignants doivent déclencher en cas d'intrusion dans l'école de tireurs actifs.

Je demande à être conduite à l'hôpital. Je laisse les agents du poste 14 aux soins de la directrice madame Metraya qui est présente à ce moment-là dans le local 113. Elle procède à l'évacuation des élèves sous la surveillance des agents du poste 14. Les autobus scolaires sont arrivés.

15 heures 15 : L'ambulance arrive pour me conduire à l'hôpital Santa Helena.

Je dépose en annexe copie du rapport d'intervention du médecin qui m'a examinée, m'accordant un congé d'une semaine. Ci-joint.

Signé à Ville Le Lièvre, 23 heures 13,
jeudi, 13 novembre 2013.
Agent Mirella Dionne, matricule 2341, caserne 13, district 4.

Signature : _Mirella Dionne_

Formulaire d'autorisation d'absence

Clinique médicale
Les 13 Associés

Le patient : <u>Mirella Dionne</u>
est autorisé(e) à s'absenter du travail
pour des raisons médicales
jusqu'à : <u>vendredi 20 novembre 2013</u>

Inclusivement ☑ (case cochée ici svp)
Exclusivement ☐

Médecin : <u>Dr Emard</u>

Signature : <u>Dr Emard</u>

Ci-joint, deux dessins d'élèves de la classe 113
ayant pour thème l'incident
qui aurait causé ou précédé la crise
de Mlle Laure-Élyse.

Chapitre 3

Maïté

Transcription de l'entrevue avec Maïté Nault, 11 ans.
Propos recueillis à son domicile, 607, 4e Avenue,
Pointe-à-Cadieux, Québec.
Le samedi 14 novembre, à 9 heures 13
Consignés par l'agent Patrick Drouin

— Je m'appelle Maïté Nault. J'ai 11 ans. J'ai tout vu.

— Ben oui, je connais Thomas, parce qu'il est dans ma classe. On est amis. On travaille souvent ensemble, dans la même équipe.

— Il est gentil, Thomas. Il nous écœure jamais comme les autres gars.

— ...Ben les autres, là, la gang à Louis-Éric et Philippe-Antoine par exemple. Eux, ils nous écœurent. Nous demandent des choses pas fines... des fois. Ils disent des insultes à Solène parce qu'elle est grosse... Ils font exprès de lancer le ballon trop fort sur nous quand on joue...

— Oui, je peux vous raconter. La maîtresse a commencé à chicaner Thomas Jensen. Elle criait trop fort et lui, il se défendait même pas...

— Oui, pendant le cours d'anglais. C'est parce que... elle pensait que c'était lui qui avait lancé l'avion...

— Un avion plié... en papier, oui... avec un dessin dessus. C'est un autre gars de la classe qui l'avait lancé. Oui, une sorte d'avion en papier. Il l'a manqué.

— Oui, c'est ça. Le papier est tombé par terre, pas loin du pupitre de Thomas. Et il s'est levé pour aller le ramasser. Mademoiselle Laure-Élyse s'est tournée juste à ce moment-là et elle l'a vu...

— C'est parce qu'elle écrivait au clavier, au tableau électronique là-bas... elle voyait pas toute la classe. Elle expliquait un exercice au tableau. Elle n'a pas vu qui avait lancé le papier. Elle a pensé que c'était Thomas, mais c'était pas lui, je le sais, moi... mais Thomas il n'a pas voulu le dire. Elle a demandé à Thomas de lui donner le papier. Et là, en voyant le dessin qu'il y avait dessus, elle s'est mise à crier.

— Oui, il lui a donné. Elle l'a lu et est devenue toute rouge. Elle a crié.

— Elle lui a demandé si c'est lui qui avait fait ça. Non... ben oui... En fait, je n'ai pas vu trop trop ce qu'il y avait dessus. Mais... Tais-toi Zacharie, c'est moi qui parle... C'est pas ton tour ! Va-t'en dans ta chambre, t'as pas le droit de venir ici.

— Il y avait des choses... dessinées... de sexe, genre...

— Quelque chose d'écrit aussi. Je l'ai pas bien vu. Je sais pas très bien.

— O.K. Ensuite, Mademoiselle voulait savoir si c'était Thomas qui avait dessiné ça. Sur le papier. Et lui, il disait rien. Il voulait pas dénoncer. Il dénonce jamais, Thomas. Il a juste baissé la tête. C'était pas lui...

— Oui, je l'ai vu ! Il a son pupitre juste en avant du mien. J'ai tout vu comme il faut... C'était pas lui. L'avion, il est venu d'en arrière. Mais elle croyait... elle lui criait dessus. Très fort. Comme ça : ARGHHHH ! T'AS PAS HOOOONTEEE !

— Ça a duré... Longtemps, en tout cas. Elle arrêtait pas. Elle était pompée raide. Elle disait : Tu me déçois... des choses comme ça. Qu'elle aurait jamais cru ça de lui... des affaires de même. Pis c'était même pas lui !

— Thomas ? Il regardait le plancher. C'est tout. Elle a crié... REGARDE-MOI QUAND JE TE PARLE ! Je croisais les doigts pour qu'il la regarde pas. Elle avait l'air d'une sorcière. Il est resté sans bouger. La tête penchée. On aurait dit qu'il était mort.

— Mais... Attendez, c'est pas tout ! Là, elle a voulu l'attraper par le bras, mais elle a pas réussi. Elle essayait de le secouer mais elle secouait rien. Il était... comme un fantôme. Elle pouvait pas le toucher.

— Non, pas invisible... comme... pas de vrais bras, genre... Comme... de la barbe à papa. Je sais pas comment dire ça. Ses doigts sont passés tout droit comme si c'était de l'air. Oui. Une image 3 D. Une illusion de magie, tsé... Un hologramme, c'est ça, oui. Un hologramme.

— Ben rien. Il a rien fait.

— Elle ? Elle a figé. La bouche ouverte. Et moi, je me suis mise à applaudir. Il est super fort, Thomas. Il se pratique pour être magicien comme Luc Langevin ; illusionniste, je veux dire. Il est super bon déjà. Il a fait des trucs devant toute la classe au début de l'année.

— Oui, pour son exposé oral. Personne n'a deviné comment il faisait. Il ne veut pas dire ses trucs. Il dit qu'un magicien ne les dévoile jamais. C'était un truc avec des cartes. Il sait lire dans une boule de cristal aussi. Une fois, il a deviné les objets qu'on choisissait en secret. Il les devinait tous ! Julie lui disait les objets…

— Oui, j'ai applaudi. C'est un super de bon truc ! Je sais pas comment il peut faire ça !

— Louis-Éric a essayé de lui donner une claque.

— Oui, c'est ça, une gifle. La classe est devenue comme folle. Les gars se sont tous avancés en tas. Sur lui. En avant. Mademoiselle Laure-Élyse était hyper énervée. Puis, là, à un moment donné, il y a un gars qui est tombé à terre. Elle criait : ALLEEEEZ VOUS ASSEOIR. Allez vous asseoir !

— ...C'était un peu épeurant parce que ça se pouvait pas. Ça se peut pas, passer à travers un bras. Hein ? On sait pas comment il fait ça.

— C'est mademoiselle Laure-Élyse qui a appelé à l'interphone... Thomas, lui, il est sorti. Je l'ai vu sortir de la classe. Ça se bousculait trop...

— Non, elle l'a pas vu sortir, c'est sûr !... Elle n'a pas vu Solène non plus. Elle avait la main levée et elle pleurait, Solène, parce qu'elle avait fait pipi. C'était mouillé par terre. Ses souliers, ses collants, tout... Je suis allée la consoler.

— Après ? J'ai vu que tout le monde courait pour reprendre sa place. J'ai regardé devant. Mademoiselle Laure-Élyse était par terre. En pleine face. J'ai vu ses lunettes cassées à côté d'elle. Avec un bras comme ça... un peu tordu. Tout le monde allait vite à sa place parce que la directrice était là.

— Après... après, ils sont venus avec une civière. Ils l'ont mise dessus et l'ont emmenée à l'hôpital. Avec un truc sur la bouche pour respirer.

— Elle avait les yeux fermés. Sans connaissance. Kaput. Toute molle. Elle avait juste un soulier.

— Ensuite... Je me demande si c'est grave... ce qu'elle a... si elle va mourir...

— Non, attendez, c'est pas tout ! La police est arrivée. Une policière, et on a dû aller en rang dans la cour. Il y en avait qui pleuraient. Des petits surtout. Sophie a fait une crise. Elle voulait appeler sa mère. Elle avait laissé son cell dans son casier et elle voulait absolument appeler sa mère. On pouvait même pas rentrer. On avait froid. Elle pleurait et gueulait en même temps. On n'avait pas de manteau, là, rien...

— On est restés un peu longtemps. Et puis, après, la directrice nous a dit de rentrer chercher nos affaires et tout le monde s'est jeté sur son cell pour téléphoner en même temps. Moi, j'en n'ai même pas, alors...

— Après… deux gars habillés en police sont rentrés dans la classe en criant : JETTE TON ARME ! comme dans les films.

— On a eu peur. On s'est cachés en dessous des pupitres, dans le fond de la classe. Avec Julie, notre enseignante. Solène, elle sentait fort le pipi et elle pleurait encore. Julie la consolait.

— …

— Ça a fait un gros « bang ». Ils avaient jeté à terre la policière.

— …

— Oui, et ils ont marché sur elle. Elle avait les menottes dans le dos comme ça. Et puis, l'alarme a sonné très fort, il fallait mettre nos mains sur nos oreilles, ça faisait mal. Après… La femme s'est remise debout. Ils l'ont détachée et elle est partie avec le concierge. Il la tenait comme ça, par le bras…

— Oui.

— Oui, là, c'est tout. J'ai fini. On a eu peur en tout cas ! Et, en plus, on a manqué notre autobus… Heureusement que mon père est venu nous chercher, Zacharie, Louis-Éric et moi… il nous a ramenés à la maison, oui. Je peux y aller ?

Quand il va revenir, Thomas ? Il est où ?
Qu'est-ce qu'elle a mademoiselle Laure-
Élyse ? Est-ce qu'elle est à l'hôpital ?

— Zacharie ? c'est mon demi-frère.
Ma mère s'est mariée avec son père l'année passée. Il est en haut, je pense. Oui,
je vais le chercher. Zacharie, c'est ton
tour !

Chapitre 4

Le Psychologue

RAPPORT DU PSYCHOLOGUE
CHRISTIAN AMYDONEE
16 novembre, Pointe-à-Cadieux, Québec.
Patient n° 1113

L'enfant Thomas Jensen, douze ans et demi, a été reçu à mon bureau, le lundi 16 novembre, à la demande de ses parents et de la direction de l'école La Cigale, à la suite d'un incident survenu à l'école, le 13 novembre dernier, impliquant l'enseignante Laure-Élyse Laurier. Voici les conclusions de la rencontre qui a duré près de deux heures.

Dans les premières minutes de l'entretien, le jeune patient présente des signes évidents de malaise. Il se montre réticent à parler de ce qui s'est passé le 13 novembre dernier pendant le cours d'anglais. En réponse à mes questions, il demeure évasif, change de sujet, soupire. Il baisse la tête, s'agite, gratte ici et là avec son crayon plutôt que de dessiner lorsque je le lui demande. Il dit qu'il ne sait pas, ne se souvient pas bien. Il hausse les épaules. À mesure que l'entrevue se déroule, le jeune patient se livre pourtant peu à peu et collabore. Il ne se détend tout à fait qu'à la fin de l'entrevue, lorsque je rappelle sa mère qui attendait dans le corridor. Sa participation aux tests écrits est cependant acquise, l'enfant y fait alors montre d'une réelle bonne volonté.

Son souvenir des minutes précédant l'incident semble flou, fragmentaire, masqué par le traumatisme. Ce traumatisme est dû à la réaction excessive de l'enseignante d'anglais. Les cris et l'agressivité dont elle a fait preuve envers lui, lui reviennent fréquemment en mémoire, dit-il, même la nuit quand il s'éveille en sursaut.

Au **plan physique**, le patient semble en bonne santé, ne présente aucune marque visible sur le corps, ni blessure, ni mutilation, ni ecchymose. Il est propre et bien mis. Son visage respire la santé, avec un teint clair et une peau saine. Son langage est aisé et son vocabulaire riche. Il ne semble souffrir d'aucune carence affective et réagit au toucher de façon normale. Les résultats des tests montrent une intelligence et une maturité affective supérieures à la moyenne, ainsi que des aptitudes sociales moyennes. L'enfant ne pratique aucun sport particulier, ses capacités motrices sont légèrement sous la moyenne de son groupe d'âge. Les résultats au **test de Webber** confirment un léger retard en motricité globale alors que sa motricité fine est passable.

Pendant les **jeux de rôles** que je propose ensuite apparaissent certaines verbalisations qui permettent de déduire ce qui suit :

Au sujet de l'incident dont il est le centre, l'enfant ne semble pas remis du choc causé par les multiples réactions de l'entourage : celle de l'enseignante, en tout premier lieu, qui lui a manifesté de l'hostilité, verbalement et physiquement. L'hostilité de certains de ses pairs ensuite, qui ont, à leur tour, tenté de le gifler, de le pousser. L'idée d'un retour en classe l'angoisse nettement. Il craint d'être rejeté par ses anciens amis, d'être désormais considéré comme « bizarre » par les autres élèves, d'avoir encore une fois à répondre aux questions de ses camarades. La surmédiatisation de l'incident, avec ses multiples rebondissements, accentue évidemment ses inquiétudes.

L'enfant est conscient de **l'attention médiatique** dont il est l'objet. Il la perçoit comme une entrave à la vie familiale, comme une histoire exagérée et falsifiée. L'insistance des journalistes et les manchettes dont l'incident continue de faire l'objet, ce matin encore, lui apparaissent pénibles et difficiles à affronter. Il aspire à retrouver l'anonymat et le calme d'avant, sa vie ordinaire comme il dit, quitte à avouer avoir tout inventé. La mère, avec qui j'ai abordé ce sujet, se montre très consciente des conséquences et est désireuse de soustraire son fils au contact des journalistes, ce qui s'avère plus difficile que prévu, car elle affirme que les « *paparazzi* » les poursuivent de leurs caméras puissantes dans tous leurs déplacements, y compris à travers les fenêtres. Une douzaine de journalistes font depuis dimanche le siège de la maison, de l'aube jusqu'à minuit passé. Le téléphone sonne sans arrêt. La pression est telle que les parents ont pensé engager un garde du corps pour les allées et venues de l'enfant, s'il devait s'aventurer en dehors du domicile familial. Ils confirment que le climat familial en est totalement perturbé.

Au sujet des faits, les dires du garçon confirment, à quelques détails près, la version que les parents en donnent.

Les faits, tels que racontés par Thomas : L'enseignante d'anglais, aurait perdu son sang-froid alors qu'il se tenait face à elle, devant la classe. L'enfant nie avoir fait quoi que ce soit de répréhensible. Il finit par avouer avoir eu *des visions* au moment le plus intense de la réprimande. Ce qui signifie pour lui avoir vu la scène du haut des airs. Il la décrit avec précision, en tenant compte de l'angle de vision (il décrit et dessine sa chevelure comme vue par derrière). Il affirme être resté conscient pendant la *vision* qui lui a semblé durer quelques minutes seulement. L'enfant dit avoir brusquement retrouvé son état normal en entendant ses camarades applaudir. Il ne se souvient pas si l'enseignante a levé la main sur lui. Il se souvient que des élèves se sont rués sur lui dans le but de le frapper. Il avoue avoir eu peur. Il ne se souvient pas trop de sa sortie de l'école. Il affirme avoir repris ses esprits dans une forêt.

Ce phénomène de *dissociation* semble unique et isolé chez ce patient. Il déclare n'avoir jamais eu d'autres visions semblables auparavant ni depuis. L'enfant dit ne pas avoir éprouvé de douleur, mais de la peur, une fois « de retour » et redevenu conscient. Je soupçonne que l'angoisse de la mort est bien présente, même s'il n'a pas abordé le sujet directement. Ses réactions au **test de Rorschach** confirment ses préoccupations morbides

Au sujet de **son rapport au réel**, l'enfant présente une base solide et se montre capable de distinguer fiction et réalité avec des résultats supérieurs à la moyenne des enfants de son âge, soit 87 contre 69 pour la moyenne. Il n'a pas tendance à fabuler et se montre au contraire franc et soucieux de la vérité. Dans son témoignage, Thomas demeure conscient de l'irrationalité de son histoire. Ce qui est une source d'angoisse pour lui. Son désir de comprendre est si fort qu'il est prêt à réviser le récit son aventure s'il trouve une version plus acceptable.

L'enfant, bon lecteur, établit un lien avec le fantastique des romans de Harry Potter, tout en affirmant qu'il s'agit là de fiction. Je dirais que c'est précisément ce **rapport à la logique** qui le trouble et le rend mal à l'aise. La piste de psychotropes est à explorer. Aurait-il ingéré quelque substance hallucinogène à son insu ? Ou intentionnellement ? Qui lui aurait procuré un tel psychotrope ? Je ne dispose pas pour le moment d'informations suffisantes. Avant de partir, le patient m'a posé une question au sujet de la possibilité d'une récidive, enchaînant du même souffle que c'est impossible.

J'ai commandé des **tests sanguins**, même si l'incident remonte à 3 jours. Je vais également parcourir les témoignages d'élèves tels qu'ils ont été entendus toute la journée par mes confrères psychologues appelés aujourd'hui, lundi, à intervenir dans cette classe. On me dit que les témoignages varient énormément d'un enfant à l'autre, au point qu'il est malaisé d'établir réellement ce qui s'est passé. L'intervention et les maladresses des forces policières qui ont suivi l'incident, font l'objet d'une manchette accrocheuse. C'est précisément ce qui semble avoir brouillé la chronologie des événements dans le souvenir de plus d'un élève. Cependant, les recoupements devraient permettre de dégager une piste d'explication satisfaisante.

Quand au patient, il dit n'avoir aucun souvenir des interventions policières ni de la venue de l'ambulance, ce qui est cohérent avec sa version des faits. Il aurait appris les détails des événements par ses parents ou par la télévision.

Prescription : Je suggère à la mère de mettre l'enfant à l'abri des médias aussitôt que possible. Qu'il passe quelques jours dans un lieu isolé et sécuritaire, une semaine peut-être, le temps que s'épuise la curiosité du public face à un événement somme toute anodin et mal interprété par ses camarades. Cela devrait lui permettre de prendre le recul nécessaire pour que ses souvenirs cessent d'exercer une fascination et n'occupent une trop grande place dans ses pensées.

J'ai demandé à revoir l'enfant dès son retour. Les parents ont acquiescé.

Chapitre 5

LE HAUT PARLEUR
**Journal régional des Hauts-Plateaux,
lundi 16 novembre 2013**

*Extraterrestre diabolique ou magicien prodige ?
La vérité sur l'incident de vendredi dernier
à l'école primaire La Cigale*

Pénélope Dostaler et Allan Motrino

Des incidents pour le moins étranges sont survenus vendredi dernier, 13 novembre, à l'école primaire La Cigale, dans le quartier Pointe-à-Cadieux.

Un avion à réaction

Une enseignante de 62 ans, mademoiselle Laure-Élyse Laurier, aurait été victime d'un malaise sérieux peu après son altercation avec un élève de la classe de sixième. Souffrait-elle de problèmes cardiaques, de basse pression ? S'agit-il d'un incident vasculaire cérébral ? Elle a été admise à l'hôpital Santa Helena vers 14 heures, vendredi, où elle demeure sous observation. On ne craint pas pour sa vie et la direction de l'hôpital refuse de nous en dire davantage pour des raisons de confidentialité. Notre reporter, Allan Motrino, a cependant réussi à apprendre que la dame a quitté les soins intensifs samedi pour être transférée dans l'aile psychiatrique où elle est soignée pour un choc nerveux. Mademoiselle Laurier serait une fervente chrétienne pratiquante, assidue aux offices religieux et engagée dans le comité de pastorale de la paroisse Saint-Benjamin depuis de nombreuses années.

Au moment d'aller sous presse, on ignore ce qu'il est advenu de l'avion de papier qui aurait déclenché cette chaîne de réactions. L'enseignante aurait-elle éprouvé des problèmes nerveux antérieurs à l'incident ? Souffrait-elle de dépression ? De délire religieux ? Notre source, qui préfère demeurer anonyme, prétend que la dame est sous sédatif, qu'elle délirait à son arrivée à l'hôpital, parlant abondamment de diable et d'esprits diaboliques. La question qui se pose : si cette enseignante éprouvait des problèmes de santé mentale, comment a-t-on pu lui confier la responsabilité d'une classe d'élèves de sixième année ? Lire notre reportage sur l'évaluation des enseignants en page 5.

Une fausse alerte

Que s'est-il passé à l'école La Cigale vendredi après-midi pour justifier le déclenchement d'un appel au poste 13 ? Et le déclenchement d'une seconde alerte quelques minutes plus tard? Trois policiers, appelés sur les lieux, ont eu à intervenir dans le cadre d'un exercice de confinement, déclenché accidentellement. Selon toute vraisemblance, une erreur humaine serait à l'origine de l'incident. La directrice, Mme Metreya, rejointe au téléphone vendredi soir, affirme que l'alerte serait un malheureux malentendu. Il semble que le concierge, dans son affolement, aurait déclenché par erreur le code de confinement, mettant en branle la procédure rigoureuse déjà connue du personnel.

Comment une telle erreur est-elle possible et comment éviter, à l'avenir, de créer un tel remous? Nous espérons obtenir bientôt la version du concierge, mais il n'a pas répondu à nos appels jusqu'ici. En attendant, la directrice tient à féliciter les enseignantes pour le calme et le professionnalisme avec lesquels l'exercice s'est déroulé.

Un rôdeur dans la cour de l'école La Cigale ?

Les enfants de l'école primaire La Cigale en ont été quittes pour la peur, ayant pu réintégrer leur local quelques minutes avant l'arrivée des autobus scolaires vers 15 heures 10. Plusieurs enfants ainsi qu'une enseignante auraient cependant affirmé avoir aperçu, quelques instants avant l'alerte, un homme dans la cinquantaine, de teint foncé, de taille moyenne et portant des jeans et un coupe-vent noir, circuler dans la cour de l'école avec un grand sac sous le bras. La directrice ne confirme ni n'infirme ce fait. Les autorités policières affirment étudier sérieusement cette hypothèse et, par consé-

Photo de la cour de l'école montrant les fenêtres du local 113

quent, ne rien pouvoir révéler pour l'instant, de peur de nuire à l'enquête.

Deux patrouilles, provenant des postes 13 et 14, se seraient croisées sur les lieux, ce qui pourrait expliquer la confusion qui régnait encore au moment de mettre sous presse, concernant les détails de ce qu'il est convenu désormais d'appeler, l'incident du 13 novembre. Voir notre reportage en page 4.

Des parents rapportent que leurs enfants ont passé une nuit agitée, font état de cauchemars, de crise de nerfs, de questions étranges sur la façon de disparaître. « *Comment on fait pour disparaître à moitié ?* » aurait demandé une fillette à ses parents qui ont compris, du témoignage de leur enfant, qu'un élève avait commencé à disparaître à la vue de ses camarades avant de quitter la salle de classe. Certains le qualifient de magicien « capoté », affirmant que c'est son fantôme qui aurait effrayé l'institutrice. Et causé la crise.

Une conférence de presse a été annoncée par le directeur des forces de police de la Ville, M. Yvon Taché, lundi midi. Elle devrait nous en apprendre davantage sur les circonstances qui ont nécessité deux appels et l'intervention de trois patrouilleurs. M. Taché se porte à la défense de l'opération policière exemplaire mise sur pied dans un temps record par ses agents.

Le jeune fugueur Thomas Jensen : magicien prodige, diable ou victime ?

Dans la confusion des événements survenus vendredi le 13 novembre dernier à l'école La Cigale, un enfant manquait à l'appel. Des élèves affirment que cet élève, Thomas Jensen, est à l'origine de la crise vécue par l'enseignante d'anglais. Malgré nos demandes répétées, il n'a pas été possible d'en apprendre davantage de la part des autorités sur cet incident survenu en classe. Aucune collaboration non plus de la part des parents Jensen qui refusent de répondre à nos questions, souhaitant rester à l'écart du battage médiatique. De leur côté, certains camarades de classe du petit Thomas qualifient l'enfant d'extra-terrestre et racontent avoir aperçu un véhicule spatial le matin de l'incident, au moment où Thomas mettait le pied dans la cour. Nous avons cherché à savoir si l'enfant était victime d'intimidation de la part de ses camarades ou d'autres individus, mais il nous a été

Louis-Éric Bégin avec son père

impossible de confirmer cette hypothèse.

L'un des témoins, Louis-Éric Bégin, onze ans, affirme que Thomas avait préparé ce tour de magie appris de son idole Luc Langevin. Lui-même, voulant tester le truc de son camarade, affirme lui avoir assené une bonne gifle ! Juste pour voir. « *Ma main est passée tout droit, comme dans du beurre* » affirme-t-il. « *En fait, il avait l'air d'être là, Thomas, mais il n'était pas vraiment là, c'était une image 3D ! Je sais comment il fait ça. Mais je ne peux pas le dire. Il m'a fait*

59

jurer le secret. Même les policiers n'ont pas trouvé comment il fait ! »

Le célèbre illusionniste Luc Langevin, rejoint au téléphone pour l'occasion et mis au courant des déclarations des témoins, suggère une possible projection holographique très habile. Cependant, la réussite de ce tour exigerait des installations techniques qui n'auraient pas pu passer inaperçues dans un local de classe et qui auraient nécessité de longues heures de préparation par une équipe bien entraînée. Le magicien s'est dit intéressé à rencontrer ce « petit génie de l'illusion » et a insisté sur le fait que les illusionnistes jouent précisément sur les apparences, attirant l'attention des spectateurs sur un aspect du déroulement pendant qu'ils exécutent, au vu et au su de tous, ce que chacun juge impossible. Lorsqu'une telle faille dans la rationalité des choses apparaît, la raison des spectateurs se rebelle et la peur qu'ils éprouvent est un réflexe courant. Il ne s'en trouve pas deux pour raconter de la même façon l'événement auquel ils viennent pourtant d'assister en personne. Dans le cas des illusionnistes, c'est un cliché de dire que les apparences sont trompeuses. C'est assurément une histoire à suivre.

Chapitre 6

À Haute-Isle

En pénétrant dans l'atelier de son grand-père Simoneau, Thomas en reconnaît l'odeur caractéristique : un mélange unique de sciure de bois, de moisi et de térébenthine. Le souvenir des épées de bois et des petits bateaux nés des mains de son grand-père lui revient en mémoire. La lumière du jour réussit à peine à filtrer à travers la fenêtre de la cave, en plein après-midi. Le petit-fils de René observe les outils disposés en vrac sur les étagères, la poussière, l'usure de l'établi, les mains veineuses de cet homme vieillissant. Pour l'instant, le visage de l'homme n'exprime que de l'attention, le souci de bien choisir le bout de bois dont il fera un bateau pour son petit-fils, venu se réfugier chez lui, le temps que la crise passe.

— Grand-papa…est-ce que ça t'est déjà arrivé, à toi?

— Quoi donc, mon bonhomme ?

— Tu sais bien... être comme ça... ce qui m'est arrivé à moi.

Thomas n'ose pas trop utiliser de mots... nommer ce qui lui est arrivé...

— Tu veux parler des journalistes et tout ça ?

— Non... avant...

— Oh... ça... flotter dans les airs, oui, bien sûr, ça m'est arrivé aussi...

Thomas ouvre grand les yeux. Son cœur saute un tour... Bien sûr, il a dit. C'est normal alors ?

— Mais pas de façon aussi... spectaculaire que toi. Il n'y a eu aucun témoin.

Thomas est tout ouïe. Grand-père laisse passer un moment avant de préciser sa pensée. Il fait mine d'examiner la planche retirée du tas de bouts de bois accumulés dans un coin de son atelier. Thomas n'arrive pas à décider si son grand-père est sérieux ou s'il blague. Grand-papa René a le don de lancer des pitreries au moment où on s'y attend le moins.

Thomas est arrivé la nuit dernière, accompagné par sa mère qui devait repartir aussitôt par le même hélicoptère, espérant éviter ainsi que des journalistes découvrent où son fils s'était réfugié. L'hélicoptère privé, réservé spécialement pour eux deux, avait décollé en grand secret de Rimouski et s'était posé une demi-heure plus tard au bout de la Haute-Isle, dans le stationnement de la clinique médicale. C'était une construction pas plus grande qu'une cabane, posée au milieu de nulle part, en plein vent, mais dont la cour était éclairée comme un terrain de base-ball pour les besoins des atterrissages occasionnels de l'hélicoptère. Les champs, aux alentours, étaient plongés dans l'obscurité, mais Thomas avait bien vu, en s'approchant, qu'ils étaient blancs de neige. L'hiver pointait déjà son nez ici, bien avant la grande ville, et s'attardait plus tard aussi, au printemps. Grand-père les attendait dans son vieux pick-up Ford. Thomas l'avait aperçu d'en haut.

Le froid vif et piquant de la nuit avait fait grelotter Thomas qui avait regardé décoller l'appareil dans un grand bruit de pales en agitant la main vers sa mère, remontée à bord. Un serrement au cœur l'avait saisi, le faisant presque pleurer. Grand-papa l'avait aussitôt entraîné dans la cabine du camion, délicieusement chauffée. Et ils avaient filé sur la route déserte jusqu'à l'autre bout de l'île où les attendait grand-maman Renelle avec un chocolat chaud et des tartines.

À la Haute-Isle, en novembre, c'est très calme. Très très calme. Une dizaine de résidants, quelques chalets désertés, un terrain de camping, un mini-resto-dépanneur, fermé en hiver, sans oublier une bibliothèque installée dans l'ancienne Caisse populaire. Au beau milieu du fleuve, il n'y a ni câble ni Internet, encore moins de réseau pour les cellulaires. Tout juste le téléphone sans fil. Mais ça a l'avantage d'être loin des caméras et des commérages de commentateurs radio. Reposant, finalement. Même si Thomas ne peut s'empêcher de penser qu'il va s'ennuyer des siens. Qu'il va s'ennuyer tout court. Le bon côté, c'est que les journalistes ne lui manqueront pas du tout. Depuis vendredi, il repense à son aventure sans arrêt, même et surtout la nuit. La présence des journalistes le hante.

Le sommeil met du temps à venir, les cauchemars se succèdent au point qu'il n'a plus envie de se rendormir. Ici, sur l'île, même si c'est nettement plus sympathique, Thomas n'est pas encore habitué aux odeurs de la maison ni aux bruits qu'il entend dans le noir. Il s'inquiète au moindre craquement.

À son réveil, ce matin, Thomas avait trouvé ses grands-parents dans la cuisine, affairés au milieu d'odeurs excitantes de pâtisserie.

— Salut Ti-gars ! Avec ce temps de chien, vous n'auriez pas pu atterrir aujourd'hui, dit René d'une voix forte. T'es venu à temps mon bonhomme ! Bien dormi ?

Thomas avait regardé dehors : il pleuvait des cordes et le vent faisait un bruit de fin du monde. La neige avait à peu près disparu. Rien qu'à voir le fleuve, on savait qu'il ne ferait pas bon être dehors. Grand-papa René avait proposé qu'après le dîner ils descendent bricoler ensemble. Dans la cave.

— Le dîner ? Il est quelle heure ?

Thomas avait cherché des yeux l'horloge antique qui indiquait midi douze.

— Hein ! j'ai dormi tout ce temps-là !

Les grands-parents avaient affiché de concert un sourire mur à mur, satisfait. Ils étaient heureux de profiter de la présence de ce petit-fils qu'ils ne voyaient pas assez à leur goût, à cause de l'éloignement.

Heureux de sentir que l'enfant se déten-
dait. Que ses soucis s'estompaient. Que
son sommeil avait été bon.

Bricoler ? Thomas aime bien bricoler avec son grand-père. L'atelier de
René Simoneau est en désordre, mal
éclairé, poussiéreux. Pourtant, aux yeux
de Thomas, c'est un repaire chaleureux,
une caverne remplie de trésors, un endroit fabuleux où on se retrouve entre
hommes à faire des choses passionnantes,
sans personne pour mettre des bâtons
dans les roues ou pour dire quoi faire.
On peut toucher à tout, cogner des clous
(il y a même un vieux fauteuil !), scier des
planches, les assembler à sa guise pour en
faire des vaisseaux spatiaux, des épées
de chevalier, des cabanes d'oiseaux, des
perchoirs à chauves-souris ou tout ce qui
nous chante. À défaut de réseau Internet
et de jeux plus intelligents, bricoler re-
présente une alternative honorable.

Grand-papa René permet tout, encou-
rage la débrouillardise, fait preuve d'une
patience d'ange et sait réparer toutes les
bévues. Comme la fois où Thomas avait
fait éclater en deux la tuile de céramique
bleue, la dernière qui restait, en tentant
de la fixer comme toit de la cabane qu'il

était en train de fabriquer. Grand-papa avait si bien recollé la tuile qu'il fallait une loupe pour en apercevoir la fissure. Ou encore lorsque Thomas avait renversé par mégarde un pot rempli de pinceaux à tremper, sur le sol en ciment.

— Aucune importance, avait déclaré grand-père. Heureusement que le pot n'était pas en verre ! Prends le chiffon et essuie du mieux que tu peux. Ça va sécher. Ça me fera au moins un bout de plancher bien propre !

Si une telle chose était arrivée chez lui, ça aurait été le drame à coup sûr. Cet atelier sentait... la sécurité. Thomas ose reposer la question qui le préoccupe.

— Ça t'est donc arrivé, à toi aussi ?

— Un jour, quand j'étais à l'orphelinat, soupire le grand-père, j'ai voulu disparaître. Être ailleurs. Ailleurs que dans l'immense dortoir qui puait des pieds, avec des centaines d'enfants que je ne connaissais pas, qui remuaient, reniflaient, pleuraient parfois. Je ne réussissais pas à dormir. Ma mère me manquait. À un moment donné, je me suis retrouvé au plafond en train de regarder par-dessus une cloison de la chambre de la sœur surveillante. Sœur Jeanne-Esther. Demande-moi pas comment ça se fait. Aucune idée. Mais je m'en souviens avec une précision qui est restée la même durant toutes ces années. Les murs n'allaient pas jusqu'au plafond. J'avais souvent souhaité voir par-dessus, voir ce qu'elle fabriquait, cette sorcière. Là, je la voyais en train de se déshabiller. Je la voyais clairement ! Ses gestes, tout ! Sa cornette était là, sur une petite table. Sœur Jeanne-Esther déposait ses vête- ments les uns par-dessus les autres, soi- gneusement pliés. Elle avait un gros grain de beauté sur le crâne. Derrière l'oreille gauche. Je le voyais pour la première fois. Elle avait des cheveux rasés très courts, très noirs. Ça lui faisait une tête d'homme. J'attendais qu'elle enlève son corset.

— C'est quoi, un corset ?

Grand-papa René ne peut s'empêcher de rire en douce.

— C'est une sorte de sous-vêtement ancien assez raide qui enveloppait le corps, des cuisses jusqu'aux épaules. Une sorte de gaine. Les femmes mettaient ça au- trefois. Pour avoir l'air plus mince. À ce moment-là, un enfant dans le dortoir a crié. Je pouvais voir tout le dortoir d'en haut. Je voyais comme en plein jour. C'était étrange et très clair. Il y a eu un bruit de pas et là, j'ai vu une religieuse que je ne connaissais pas, passer en courant devant mon lit. J'étais couché. Plusieurs enfants s'étaient réveillés. On nous a chuchoté de nous rendormir, que tout allait bien.

Est-ce que j'avais réellement été au-dessus de la cloison ? Ou dans mon lit tout ce temps-là ? Est-ce que j'avais rêvé ? Je ne crois pas, parce que j'ai pu vérifier plus tard que la disposition de la chambre de la sœur était exactement comme je l'avais aperçue du haut du mur. Exactement. J'ai toujours été convaincu que j'étais allé là-haut. Comme si j'avais pu vivre à deux endroits en même temps.

— Et le grain de beauté ?

— Hé ben ça... en fait non, jamais pu vérifier.

— Tu avais quel âge ?

— Hum. Pas vieux. Ton âge à peu près. Je suis entré à l'orphelinat à huit ans et ce que je te raconte s'est passé pas long-temps après mon arrivée.

Thomas trouvait qu'il y avait une grande différence entre un enfant de huit ans et un de douze ans et demi. Mais il ne le dit pas. Il avait du mal à imaginer son grand-père en enfant, cet homme au dessus du crâne dégarni, aux cheveux mi-longs, clairs presque blancs, au visage plissé et aux mains rudes, pleines de callosités et de taches brunes.

Thomas avait aussi beaucoup de mal à imaginer comment on peut continuer à vivre quand on n'a plus de mère. Un dortoir, il n'en avait jamais vu. Un orphelinat, il s'était fait une idée, ce n'était pas la première fois que son grand-père en parlait. Une religieuse en habit noir ? Il avait vu des images une fois sur Internet lorsqu'on avait voulu lui expliquer ce qu'était une cornette. Mais ce que grand-papa René racontait ressemblait vraiment à sa propre expérience. C'était la première fois que Thomas entendait cette histoire étonnante. Ça se pouvait donc. Thomas se sentit à la fois réconforté et intrigué.

— Mais la sœur, elle pouvait te voir ? Te toucher ?

— Oui, la torieuse, et elle ne se privait pas de nous pincer les bras. Fort, à part ça !

— Mais cette fois-là, quand tu étais au plafond...

— Elle ne m'a pas vu, elle n'a donc pas pu me toucher.

— Alors, c'est pas comme moi...

— Pas tout à fait, non.

— Et t'as cru que c'était un rêve toi aussi ?

— Exactement. Sur le coup, non. Mais après, je me suis dit que ça ne se pouvait pas. J'avais donc dû rêver. Mais je sais aujourd'hui que ce n'était pas un rêve. Du moins, pas un rêve comme ceux qu'on fait d'habitude. C'était trop net et trop réel. Il y en a qui appellent ça un rêve lucide… On n'est pas les seuls, tu sais. Il existe plein de témoignages. Tiens, regarde, ça aurait cette forme-là, notre bateau. Ça te va ?

Un rêve lucide… Grand-papa lui agitait sous le nez un dessin de bateau qu'il venait de tracer à même la planche de bois.

— …

— Ce sera assez grand pour ce que tu veux en faire ? On va passer la planche sous la scie à ruban. Tu vas être bon pour la sabler après ? On va demander à Renelle de nous faire les voiles…

Thomas fait signe que oui. Sa pensée s'attarde pourtant encore sur le dortoir d'autrefois où il tente de recréer la scène. La classe 113 lui apparaît, vue d'en haut, se superposant à l'immense dortoir d'autrefois. Un rêve lucide… c'est arrivé à d'autres, avait dit René… Il se demande

71

si le reste de son aventure va un jour disparaître de ses souvenirs. Si, simplement, ça ne va plus exister. Ça n'aura jamais existé. Il se serait trompé. Aurait mal interprété.

— Grand-papa, pourquoi tu me l'avais jamais raconté ?

— Cette histoire-là ? Ça n'a jamais adonné. On raconte pas ça à n'importe qui, tu sais. Il y en a qui ne comprendraient pas. Qui penseraient que tu veux faire l'intéressant.

— Ouais... Comme Louis-Éric. Il arrêtait pas de m'écœurer, il voulait me « taper ». Il était tout énervé.

— Tu l'as pas laissé faire j'espère ?

— Non, heu... ben non...

Mais Thomas sait que oui, il est resté plutôt passif. Figé. Il a reculé son visage, sans rien faire d'autre. Il est resté là quand Philippe-Antoine est tombé sur lui. Pourquoi ne s'est-il pas défendu ? Tout ça le dépasse... Du fond de lui, en ce moment même, montent une petite joie tremblante, une gratitude pour cette histoire que vient de lui livrer son grand-père. Ils sont deux à avoir vécu des choses étranges et ça ne fait pas d'eux des êtres plus étranges que les autres. Il y en a d'autres, qui n'osent pas en parler. Je ne suis donc pas fou, se dit Thomas avec soulagement.

— Thomas... ?

Grand-père lui tend la planche pour qu'il la tienne un instant. Il regarde son petit-fils avec un drôle d'air... Thomas remet vite ses idées en place, décide de mettre à la porte le sujet qui le préoccupe. Ouste ! À plus tard.

Il se concentre sur le chef-d'œuvre du jour, celui qu'ils vont fabriquer ensemble, son grand-papa et lui, bien à l'abri dans le ventre de la maison ancestrale. En sécurité sur une île aux trésors fabuleuse, au milieu du fleuve, loin de tous les fous qui ne croient pas aux choses étranges et merveilleuses qui peuvent arriver parfois.

Chapitre 7

Le dragon de Haute-Isle

Je me rends compte que je ne t'ai pas encore parlé des dragons. Il est à peu près temps ! On est déjà rendu au chapitre 7 ! C'est qu'ils sont encore, pour la plupart, endormis dans leur repaire. Veillant sur des trésors dont Thomas ne peut même pas imaginer la splendeur. Ils sont au moins douze, dans leur royaume inaccessible, formant un cercle immense et impénétrable, hors du temps, couvrant à eux tous l'ensemble des univers. Au repos, ils impressionnent. Mais un dragon en chasse est proprement terrifiant.

Pour l'heure, leurs écailles fines luisent doucement dans l'obscurité. Leur souffle de braise allume des reflets sur les pierres précieuses et les ors fins qui leur servent de nid dans leurs cavernes spectaculaires mais invisibles des humains. Leurs ronflements leur donnent des allures de forge en colère et tiennent en respect tous ceux qui auraient l'audace de se croire capables de s'attaquer à eux.

Le dragon de Thomas, pourtant, est bien éveillé. Il ne fait pas encore partie du cercle des douze. Ses trésors sont encore à conquérir. Il n'est pas pleinement un dragon celtique. Pas encore. Il ne le sera peut-être jamais, car aucune femelle n'a encore jamais été admise dans le cercle sacré. Il ne peut donc pas s'endormir sur ses richesses. Au contraire de ses congénères, il n'a pas sommeil. Il est en quête. Il ne sait pas bien ce qu'il cherche, des trésors, certes, mais il est attiré par un jeune humain en fuite, dont le destin vient de se dissocier de celui des écoliers de son âge.

Dans les airs fluides, il progresse lentement, sans être vu, s'appuyant sur des vents forts et repérant silencieusement les lieux parcourus par le garçon. Il perçoit confusément ses rêves agités, il note les failles des pensées dans lesquelles il pourra bientôt se glisser. Bientôt. Ne rien précipiter. Il plane très haut, de ses ailes déployées, les naseaux frémissants, reniflant et flairant les odeurs qui parviennent jusqu'à lui.

Peu à peu, les contours de l'enfant se précisent. Le dragon femelle, plus que jamais décidé à prouver sa valeur, resserre à chaque cercle son emprise sur l'enfant. Atteindre le territoire des humains demande doigté et patience. Il faut acclimater le corps aux vibrations moins élevées de leur niveau d'existence. Il faut évaluer l'énergie disponible, car le voyage exige beaucoup. C'est la première fois que ce dragon s'aventure de façon aussi marquée sur la piste d'un humain. C'est un jeune humain. Parfait pour un jeune dragon femelle.

Je dois encore te dire que les dragons disposent de quelques jours terrestres d'autonomie, après quoi, ils doivent retourner s'approvisionner en nourriture et se reposer. Plus il progresse, plus le dragon est conscient du temps qu'il lui reste. Sa détermination s'affermit.

À la bibliothèque de Haute-Isle, grand-maman Renelle est aussi connue que grand-papa Simoneau au garage de la rive. Quand ils les voient ensemble, les gens d'ici les appellent les deux René. Avec des sourires sous-entendus, comme s'ils trouvaient la blague bien bonne. Renelle et René, ça fait drôle comme prénoms de couple. Mais c'est pas leur faute.

Depuis le départ des touristes, la bibliothèque est fermée. Si un résidant de l'île veut un livre, il prend rendez-vous avec Renelle. Comme elle en possède la clé et la responsabilité, elle peut donc y emmener Thomas, après le souper, convaincue qu'un bon livre lui ferait plaisir. Il fait froid là-dedans. Ils frissonnent tous les deux.

Thomas aime lire, oui, mais pas trop sur papier. Il doute que les titres de cette minuscule bibliothèque l'enthousiasment. Il furète sur les rayons pendant que sa grand-mère s'affaire sur les fiches du système de prêt. Les livres lui semblent vieux, il ne trouve pas de titres connus, plusieurs couvertures sont défraîchies. Il y a des bandes dessinées. Ça pourrait toujours aller. Même si c'est vite lu. Dans la section « Fantastique », il cherche en vain la série Harry Potter. Il aurait aimé un bon roman fantastique, peut-être aurait-il découvert des indices dans le livre, un début d'explication à ce qu'il avait vécu. Parmi les films qu'il a vus, il ne se rappelle rien qui puisse l'aider.

Les couvertures du rayon « Fantastique » sont attirantes. Il y en a de fabuleuses, celles, entre autres, où il y a un dragon survolant un nid perché sur une falaise. Le livre est épais comme ça. Les feuillets sont froissés et déchirés par endroits. Trop énorme ! Il en aurait pour une année, c'est écrit tout petit. Alors qu'il parcourt le dos de la douzaine de livres de la section « Aventure », son doigt s'arrête net sur un titre : **L'Intouchable aux yeux verts**... de Camille Bouchard.

C'est quoi un Intouchable ? Quelqu'un qu'on ne peut pas toucher ? C'est tout à fait lui, ça ! C'est ce qu'il était quand mademoiselle Laure-Élyse n'avait pas réussi à le pincer... Thomas saisit le roman. Il s'est d'ailleurs toujours demandé de qui il tient ses yeux verts. Son père et sa mère ont les yeux bleus, ainsi que grand-papa René. D'un bleu un peu gris, mais bleu quand même. Quant à Renelle, elle a les yeux brun noisette, de même que sa grand-mère Yolande, la mère de son père. D'où vient donc le vert de ses yeux ?

Thomas, le cœur suspendu entre deux battements, feuillette lentement les cent soixante-quinze pages. Pas une illustration. Des caractères fins sur un papier jauni. Un livre pour les grands, peut-être même pour adultes. Sur la couverture, l'illustration montre une fille avec un voile sur la tête et une boucle dans la narine. D'après le résumé, c'est elle l'Intouchable. L'histoire se passe en Inde. Thomas espère que ce ne sera pas une histoire d'amour.

Il faut qu'il sache ! Une détermination inconnue l'envahit. Il va lire ce livre. Rien ne va le faire reculer. Décidé à percer le mystère des Intouchables, Thomas apporte le livre au comptoir, oubliant la bande dessinée choisie auparavant :

— Je prends celui-là !

Renelle lève les yeux vers lui, étonnée de son choix, mais surtout de la détermination farouche qu'elle perçoit dans sa voix. Elle ne dit rien et inscrit le titre sur un carton avec le nom de Thomas et la date : mardi 17 novembre.

Dès son retour à la maison, Thomas se réfugie dans sa chambre. Il redescend presque aussitôt, l'air ennuyé.

— T'as besoin de quelque chose, Tigars ? demande grand-papa René.

— Mon téléphone ne fonctionne pas ici... Y'a pas Internet... Ça veut dire quoi, le mot « pantois » ?

— Hé ben... on va chercher.

Thomas s'est buté à un mot inconnu dès la première phrase du roman. Sans téléphone ni tablette électronique, il ne sait pas chercher. Un dictionnaire ! Ça va être gai s'il faut chercher tous les mots inconnus là-dedans. Grand-papa René trouve rapidement le mot et tend le gros « Petit Robert » à Thomas pour qu'il y lise la signification. Des mots en latin, en italique... entre parenthèses. Humm, « avoir des visions »... « haletant », lit Thomas en sautant quelques mots inconnus. Se reconnaissant vaguement dans ce mot, il se dit qu'il est sur une bonne piste et se satisfait de cette approximation. Il remonte comme une flèche dans sa chambre pour redescendre aussitôt demander s'il peut emporter le dictionnaire. La lecture s'avère plus ardue que prévu. Mais ça ne va pas l'arrêter. Il n'y a pas grand-chose à faire sur l'île, de toute façon.

Thomas persévère de longues minutes, s'arrêtant souvent, changeant de position, relisant des paragraphes entiers. Chercher le sens des mots inconnus dans le dictionnaire exige pas mal de temps. C'est épuisant et ça lui fait perdre le fil de l'histoire. Il finit par revenir au récit en sautant quelques lignes. Il y a beaucoup de descriptions, des mots inconnus, mais on en devine le sens... à peu près. Il parcourt encore quelques paragraphes en sautant des mots, d'un doigt pressé, cherchant s'il y a là quelque chose pour lui, un début de sens, d'explication de ce qu'est un Intouchable. Il saute quelques pages, se rend au chapitre Un, de peine et de misère. Quoi, le chapitre 1 ? Je lisais quoi avant ? Ah, la préface... Le chapitre 1 s'intitule : CHANGEMENT DE PROGRAMME. Il y a des mots anglais. Il y a combien de chapitres ? Thomas se demande s'il ne ferait pas mieux justement... de chercher ce que signifie Intouchable, directement dans le dictionnaire.

Ben oui. Brillant !

J'aurais dû y penser avant !

Après les mots entre parenthèses et en italique, il découvre le premier sens du mot intouchable : Qu'on ne peut toucher. Il s'en doutait. Le sens n° 2 est plus intrigant : Qu'on n'a pas le droit de toucher. Mais c'est le sens « fig. » (Figuré) qui le réjouit le plus : Qui ne peut être l'objet d'aucun blâme, d'aucune sanction. Voir Sacro-saint.

Hé bien... c'est assez formidable, non ? Et ça donne un nouveau sens à ce qui est arrivé. Il ne peut pas être blâmé. Peut-être même qu'on n'aurait pas le droit de le toucher ? Mademoiselle Laure-Élyse ne pouvait pas le disputer, c'est la raison pour laquelle ça s'est produit. Il n'était coupable de rien.

Il est intouchable… Le mot « sacro-saint » lui confirme que c'est plutôt une bonne nouvelle. Il est, lui, Thomas Jensen, au-dessus de la mêlée. Il est quasiment un saint. Ça alors ! Il était loin de s'en douter. Ses parents le savent-ils ? L'image de la couverture du livre avec un dragon survolant une falaise lui vient en mémoire, se superposant sur la page austère du dictionnaire. Comme une bouffée d'air frais. Comme un début de fierté. Comme une manière de reconquête d'une estime de soi ébranlée. En reconstruction.

— Je peux appeler à la maison, grand-maman ?

Une délicieuse odeur de café et de pain grillé tire Thomas du sommeil. En rejetant la douillette, il est surpris de se découvrir les jambes nues, en caleçon… Où est son pyjama ? Il est neuf heures neuf. Le roman qu'il lisait hier soir est sur la petite table, par-dessus le dictionnaire ;

ses vêtements sont pliés sur le dossier de la chaise.

Il rougit, comprenant qu'il a dû s'endormir sur sa lecture, hier soir, et que ses grands-parents l'ont déshabillé et mis au lit... Après avoir parlé à sa mère, il s'était senti très seul et s'était mis à s'ennuyer très fort. Il avait même failli pleurer, mais il s'était répété qu'il était un Intouchable et ça l'avait un peu réconforté. Il s'était remis à sa lecture, reprenant courage, il fallait qu'il en sache plus.

Jusqu'à quelle heure avait-il lu ? Où est-il rendu dans l'histoire? Il ne lui en reste à peu près aucun souvenir ce matin. Par contre, ça fait longtemps qu'il n'e s'est pas senti aussi bien. S'habillant à la hâte, il dégringole l'escalier jusqu'à la cuisine, imaginant sans peine le déjeuner de géant qu'il allait ingurgiter, ce qui ne manquerait pas de faire réagir ses grands-parents.

— Allô, lance-t-il d'un ton joyeux.

Thomas a le temps de s'asseoir à la table, de voir sourire son grand-père qui se sert un café derrière le comptoir de la cuisine. Sa grand-mère est attablée, le nez dans un journal qu'elle replie bien vite, comme si elle voulait éviter que Thomas voie les grands titres. Un bruit sourd et rythmé se rapproche et se fait soudain entendre au-dessus de leurs têtes. Ça vient de dehors. Grand-père Simoneau affiche soudain un air inquiet.

— Véronneau ? à cette heure-ci ? Il ne passe pas par ici d'habitude ! La piste d'atterrissage est à l'autre bout de l'île.

Thomas se rappelle le pilote, monsieur Véronneau, qui les a emmenés sur l'île, sa mère et lui, en pleine nuit. Thomas voit son grand-père froncer les sourcils en regardant par la fenêtre et se diriger prestement vers l'entrée. Thomas oublie aussitôt ses projets de déjeuner et attrape son manteau à la suite de son grand-père, sans prendre le temps de mettre ses bottes. Peut-être sa mère est-elle venue le chercher plus tôt que prévu... peut-être est-ce son père...

Au-dessus du jardin de la maison ancestrale, un hélicoptère fait tournoyer ses pales au ralenti, semblant flotter sur place, dans les airs. Les flancs de l'hélico sont éclairés par un rayon de soleil qui perce les nuages. Thomas peut y lire trois grosses lettres : KVA et puis 313. Il peut aussi apercevoir, par la porte vitrée, un homme qui tient quelque chose comme une arme pointée droit sur lui. Il entend grand-papa

René jurer entre les dents et lui ordonner de rentrer « au plus sacrant ! »

— Vite, vite Ti-gars ! Rentre dans' maison !

Bienvenue au Téléjournal KVA *du mercredi 18 novembre 2013.*

En manchette ce soir *: Du nouveau dans l'affaire de l'école la Cigale : les agents Drouin et Pérusse sont suspendus jusqu'à nouvel ordre ; notre reporter a retrouvé la trace du magicien fugueur, comme on l'appelle désormais, ce garçon de douze ans qui a déclenché la série d'incidents que l'on connaît : il aurait trouvé refuge chez ses grands-parents maternels, à la Haute-Isle, où notre reporter Gontran Rochechouart l'a aperçu ce matin ; il vous en a rapporté des images exclusives.*
Mais d'abord, le projet de loi C106 : le gouvernement minoritaire risque d'être défait demain à moins que… blablabla…

Chapitre 8

« Un-lieu-où-personne-
ne-penserait-te-
trouver »

Thomas a du mal à boucler sa valise. Il l'ouvre pour la centième fois, vérifiant s'il n'a pas oublié quelque chose. Il découvre, sous les couvertures de son lit défait, son pantalon de pyjama qu'il n'avait pas encore rangé. Il réfléchit à ce qui pourrait lui être utile si jamais sa valise était égarée. Il a mis son canif dans la poche arrière de son pantalon, on ne sait jamais ; son téléphone intelligent dans la poche de gauche de son blouson, à portée de main. Il y aura peut-être un réseau là où ils vont. Thomas ignore la destination.

Sa mère lui a donné, avant de le laisser, un vingt dollars plié en quatre dans l'étui de son cellulaire. Thomas y glisse également sa carte d'assurance-maladie. Bien entendu, Thomas a enfoui au fond de sa poche droite une tablette de chocolat, ration de survie indispensable en pareille aventure. Son petit dé, taillé à la main par les Indiens de la Côte Ouest, est évidemment du voyage. C'est un talisman offert par son parrain Nicolas pour ses huit ans. Non seulement il pourra s'amuser avec ça pendant le voyage, peut-être même que ce sera son seul jeu pendant quelques jours !

Qu'adviendra-t-il du bateau commencé avec René ?

— On doit le laisser, a dit grand-papa René. On reviendra le finir, t'en fais pas.

Mais Thomas s'en fait quand même.

L'idée de s'enfuir en secret, de se cacher de ceux qui le poursuivent, ne le réjouit pas du tout. Encore un voyage de nuit. Il se sauve comme un voleur, comme un coupable, en compagnie de ses grands-parents qui l'emmènent Dieu sait où. C'est chic, un voyage, et Thomas adore l'aventure en temps normal, l'avion surtout, mais là, il ne se sent pas rassuré. Il voit bien que ses grands-parents sont nerveux, qu'ils font de leur mieux pour dissimuler leur inquiétude.

Il a sommeil. Il est contrarié. Il a peur de ne jamais revenir, il ignore où ils iront, combien de temps ils seront partis, s'il reverra bientôt sa mère, ce que sera leur vie pendant ce temps. Il se sent en danger. Dehors, il fait gris, presque nuit déjà. On a beau lui dire qu'il n'a rien à craindre, il commence à trouver que cette histoire est trop énorme pour lui. Ça ressemble de plus en plus à un film de gangsters dont il serait la proie.

Ce n'était pas une mitraillette, pointée sur lui, qu'il avait aperçue dans l'hélicoptère, ce matin. C'était un appareil photo avec un zoom long comme ça. Et Thomas, en se rongeant copieusement les doigts, commence à se demander lequel est le plus dangereux. Il réalise maintenant les conséquences qu'une simple photo peut déclencher.

Les journalistes ont retrouvé sa trace. Ils veulent des images pour le téléjournal. Ils veulent l'interviewer. Ils veulent sa version des faits. Ils ont parlementé au téléphone avec Renelle, plusieurs fois pendant la journée, revenant chaque fois avec une offre plus alléchante que la précédente. Ils ont même posé leur appareil volant dans le champ à découvert, juste en face. Il a fallu fermer les portes à clé, fermer tous les stores et les volets pour éviter qu'ils prennent des photos à travers

les fenêtres. Comme un piège qui se re-
ferme. Renelle n'a pas pu empêcher qu'ils
publient les photos déjà prises ce matin,
lorsque Thomas, « comme un idiot », s'est
carrément offert en spectacle, confir-
mant ainsi sa présence chez ses grands-
parents.

Ils mènent une enquête sur lui, comme
s'il était un criminel recherché. Ce soir,
ils sont repartis, mais ils reviendront demain. C'est fatigant. Thomas est fatigué
de cette histoire. Ses parents, rejoints
plus tôt au téléphone, ont approuvé le plan
de Renelle et de René. Ils ont confié leur
fils à ses grands-parents en lui recomman-
dant d'être prudent et de bien en profiter.
En profiter... Profiter de quoi... Thomas se
le demande.

— On pourrait aller chez mon père?
avait suggéré Thomas plein d'espoir, en
apprenant qu'ils devraient quitter l'île
cette nuit, en catimini.

— Ta mère pense que ce ne serait pas
une bonne idée, fiston. S'ils ont réussi à te
retrouver chez nous, ils te retrouveraient
facilement au Vermont chez ton père.
Ta mère changera désormais d'endroit
chaque fois qu'elle nous appellera. On fera
pareil. Quant à ton père, tu lui as télé-

phoné au moins trois fois, ces trois derniers jours. Les journalistes connaissent
sûrement déjà son adresse. Des Jensen,
il n'y en a pas tant que ça au Vermont. Si
on veut que les journalistes te fichent la
paix, le mieux, c'est de partir ailleurs, là
où personne ne penserait te trouver.

En ce moment, à cette minute, « Un-lieu-
où-personne-ne-penserait-te-trouver »
apparaît carrément lugubre à Thomas.

Le plan prévu est de se rendre tous les
trois chez un ami des grands-parents, qui
habite à environ un kilomètre d'ici, sur l'île
même. Départ vers trois heures trente
cette nuit. Thomas ne va pas dormir, c'est
sûr. Monsieur Armand, le voisin, leur prête
sa voiture. Il reviendra stationner le camion de grand-papa dans l'entrée des
Simoneau, déguisé en grand-papa René,
avec son chapeau et son pardessus. Cette
partie-là du plan est amusante. Thomas
aimerait bien voir ça.

Monsieur Armand entrera chez les
Simoneau et allumera toutes les lumières
au rez-de-chaussée, comme si la maison
était occupée. Il mettra la radio. Le camion de René, stationné dans l'entrée du
garage, comme d'habitude, fera croire
aux journalistes que tout le monde est

là, comme la veille. M. Armand retournera chez lui à pied, à la noirceur, après s'être assuré que personne ne le suit. Ce monsieur est un bon marcheur, pas de problème pour lui.

Pendant ce temps, c'est-à-dire cette nuit, Thomas et ses grands-parents fileront vers le quai où les attendra le bateau de monsieur Guy. La marée sera haute vers 3 heures 30 ; ils pourront traverser jusqu'à la rive. M. Armand viendra récupérer sa voiture au quai le lendemain. Thomas ne sait pas ce qui arrivera après.

De peur que leur téléphone ne soit sous écoute, Renelle est allée faire tous les appels chez monsieur Armand. Vraiment moche qu'ils ne puissent pas traverser avec la voiture. Le bateau de monsieur Guy n'est pas assez grand. Il n'y a plus de traversier, en novembre. Sans voiture, ils ne pourront pas aller bien loin. Thomas se demande vraiment ce qui va leur arriver.

Vendredi 20 novembre.
C'est plate, c'est plate, c'est plate !
Il n'y a rien à faire ici. Je regarde par la porte patio : c'est un immense champ

de broussailles qui se perd dans la forêt au fond. Grand-maman a dit qu'il y avait peut-être des ours, mais je parie qu'elle a dit ça pour me faire peur, pour m'empêcher d'y aller.

Devant la maison, c'est la route principale, allô la route, il n'est passé qu'une seule voiture depuis une heure que je suis levé. En face, il n'y a rien du tout. La mer, c'est tout. Et le ciel gris. De chaque côté, il y a les maisons des voisins, assez éloignées. Elles ont l'air aussi vides et immobiles qu'une roche en hiver.

Allô ! le voyage. Moi qui croyais qu'on allait changer de pays, voir des lieux différents, j'ai même imaginé qu'ils allaient m'emmener à Disneyland. Qu'ils me réservaient une surprise. Mes grands-parents m'ont fait remarquer qu'on n'avait pas de passeport. Allô ! la joie.

Mes grands-parents sont encore couchés. Moi, je me suis levé dès que je me suis aperçu qu'il faisait un peu clair. Ma mère serait tombée en bas de sa chaise de me voir levé si tôt. Je n'ai pas fait de bruit et suis descendu à la cuisine. Je me suis fait des rôties, j'ai pas trouvé de confiture ni de beurre d'arachide. J'ai essayé d'allumer la télé : il n'y a que deux postes : l'un en anglais, l'autre avec une émission de « parlage » d'adultes.

Je repense à notre départ de Haute-Isle, l'autre nuit. J'ai trouvé la traversée dans le bateau de M. Guy assez pénible. Il faisait tellement froid ! J'arrêtais pas de claquer des dents. Grand-maman Renelle me serrait contre elle, mais la cabine avait beau être chauffée, je pouvais pas m'arrêter de trembler. L'eau était noir foncé, j'avais la nausée et j'avais peur qu'on fonce sur une baleine endormie ou sur une souche flottante qu'on n'aurait pas vue.

Au quai, ma tante Gilberte nous attendait pour nous conduire au motel. Nous avons essayé de dormir un peu après son départ, mais je crois que personne n'a vraiment dormi. Vers dix heures, elle est revenue nous chercher pour nous conduire chez un concessionnaire. Nous avons loué une voiture. Grise. Comme la pluie. Nous sommes partis, sans ma tante, vers onze heures en direction de sa maison de Cap-Desrosiers qu'elle nous prête parce qu'elle est vide. Elle n'y habite que l'été.

On a roulé toute la journée d'hier ou presque. J'ai dormi pendant tout le trajet. Je me réveillais juste quand on s'arrêtait pour manger. Il faisait noir lorsque nous sommes arrivés ici. Au bout de la route. Au bout de la pointe de la Gaspésie. Au bout du monde. Dans cette maison tellement glaciale que rien qu'en respirant on faisait craquer l'air. J'exagère, mais c'était « total frette ».

On a mis le chauffage partout en arrivant. En attendant, pendant que grand-maman faisait du chocolat chaud pour tout le monde, grand-papa m'a montré comment allumer le feu de foyer. Les clés de la cheminée, le papier, le petit bois empilé, une grosse bûche par-dessus. C'était bon quand ça a commencé à flamber. On est supposés aller faire les courses tout à l'heure, après le déjeuner. En ville, qu'ils ont dit. Je me demande à quoi ressemble Gaspé. Est-ce que je pourrai téléphoner à ma mère ?

Je me demande s'il y a déjà eu des enfants ici. Il n'y a rien pour jouer, pas de livres intéressants, pas de jeux, rien que des affaires d'adultes ! Je fouille un peu partout, je trouve deux jeux de cartes. Ça ne me tente pas trop de jouer tout seul. Il y a un téléphone à roulette accroché au mur. Une antiquité. Il ne fonctionne pas. Zéro tonalité. Je n'ose pas téléphoner chez maman avec mon cellulaire de peur qu'on retrace la provenance de l'appel. J'ai vérifié les portes, tout est bien barré.

Et là, je m'ennuie. Je m'ennuie !!! De ma mère, de mon père. Même de Louis-Éric, mon demi-frère. Ma petite sœur Aube me manque. Ma chatte Bouboule me manque. Ma chambre me manque. Mes affaires. Je voudrais être à la maison. Je voudrais aller à l'école et que personne ne me regarde comme un extraterrestre. Je voudrais que tout soit comme avant. J'ai envie de chialer.

Je sors mon petit dé de ma poche, et comme il n'y a rien d'autre à faire, je décide de l'interroger sur mon avenir. Je me suis fait un code. Ça marche ! Mon dé et moi, on s'entend bien. Je lui pose une question et je le lance pour avoir la réponse.

S'il donne : ⚀, ça veut dire non, pas question, pas du tout, jamais de la vie.

⚅ : Oui, sûr, fonce mon gars, tout est beau.

⚂ : mon chiffre chanceux veut dire que ma chance est plus forte que tout. Alors je peux choisir la réponse que je veux.

Si le dé indique ⚃, ça signifie qu'aucun des choix n'est possible.

Si ça donne ⚅, c'est nul, je dois recommencer, relancer le dé.

Et si c'est ⚁, j'additionne le résultat des deux prochains lancers. Si ça donne alors un chiffre pair, cette fois ça veut dire oui, mais « fais très attention » ; si j'obtiens un chiffre impair : là, ça veut dire non, pas de chance, impossible.

Alors je réfléchis bien à la question que je veux lui poser. Ça ne marche qu'une seule fois par question, ce truc. Je commence par demander :

— Est-ce que je vais bientôt rentrer chez moi ?

Je lance le dé : ⚃

J'ai de la chance, je choisis oui, bien sûr. J'espère qu'on va pouvoir rentrer bientôt. Ça me fatigue, cette histoire : avoir à me sauver, avoir peur tout le temps qu'on me trouve, qu'on braque une caméra sur moi et voir ensuite ma tête d'ahuri à la télé.

Je demande ensuite à mon dé quand je reverrai mon père. Le dé répond : ⚁ Il faut relancer le dé. J'ai trop peur qu'en le relançant j'obtienne un chiffre impair. Je n'ai pas bien formulé ma question... il ne peut dire que oui ou non, mon dé... Je le serre dans ma main très fort et je le réchauffe. Je lui parle tout bas. Je vais reformuler la question...

Ah ! J'entends du bruit en haut. La chasse d'eau. Des pas glissés sur le palier qui craque. Ils sont réveillés. Ma grand-mère descend l'escalier en robe de chambre. Je range bien vite mon dé. Mon grand-père suit de près, tout habillé, l'air de bonne humeur.

— Grand-maman, est-ce qu'on va pouvoir acheter un film et du beurre d'arachide en allant faire les courses ?

— Hé ! moussaillon, me répond grand-papa, t'as pas fait de feu dans le foyer ?

Oups ! pas pensé...

Chapitre 9

LES DOUZE DRAGONS

Résumé :

Dans le petit village de Ouradour-sur-Bane, une princesse illégitime accouche d'un enfant étrangement beau. Tout le village le prend en affection jusqu'au jour où il devient évident que le jeune Ivanhoé fait preuve de dons étonnants, tout comme son père autrefois, un mage de passage qui a, depuis, quitté le village, ignorant tout de la naissance d'un fils. Autour de l'enfant se tisse alors une méfiance qui l'isole peu à peu, jusqu'au jour où une terrible menace pèse sur le village. Une douzaine de dragons progressent en effet le long d'un trajet les menant jusqu'à la Source noire, semant sur leur passage terreur et destruction. Ouradour-sur-Bane se trouve en plein sur ce trajet. Certains villageois désespérés se tournent vers Ivanhoé, âgé alors de douze ans, exigeant qu'il aille à la rencontre des dragons et les détourne. Non seulement Ivanhoé sait que c'est l'envoyer à la mort, car il ignore tout de la façon de vaincre ou de convaincre un dragon, mais en plus, il en a une peur bleue. Sa mère, impuissante, assiste à son départ, obtenant de justesse qu'un ami de la famille, Lars, l'accompagne. Heureusement, un protecteur invisible semble les guider le long de leur dangereux périple. Avec l'aide de Lars, Ivanhoé apprendra à apprivoiser le plus jeune des dragons, blessé et abandonné par ses onze frères. La destinée du village en sera changée à jamais.

Thomas bâille sans retenue en laissant défiler le générique. Il a eu du mal à rester éveillé jusqu'à la fin du film et il se sent tout mou. Mais il voulait absolument assister au triomphe d'Ivanhoé. Il voulait savoir comment il s'y prendrait. Maintenant, il a juste envie de laisser tomber les paupières et de rester là jusqu'à la fin des temps, de ronronner de contentement sur le grand sofa de velours. Même plus la force de se lever et d'éteindre. Des tas d'émotions se sont succédé en lui, le long du déroulement, comme s'il était lui-même le héros aux prises avec un énorme dragon.

René avait ri de le voir se tortiller, se raidir, se recroqueviller, lancer son cri de guerre en même temps que le héros. Thomas est maintenant épuisé, mais satisfait. C'était un film formidable. Il veut le revoir encore demain.

— Allons, fiston, courage ! Il reste encore à te brosser les dents et à te mettre au lit.

Thomas soupire. Son grand-père est resté avec lui jusqu'à la fin du film.

— C'était une belle histoire, hein? demande grand-papa René.

Personne n'avait fait attention, au moment de l'achat, à la durée de ce film : près de trois heures. Grand-maman Renelle est montée se coucher il y a plus d'une heure déjà.

— Oui, oui, merci beaucoup, répond mollement Thomas en se levant docilement et en fermant le téléviseur. Pendant que René fait le tour de la maison pour éteindre les lumières, régler le chauffage pour la nuit, vérifier les portes, Thomas monte vers sa chambre en repassant dans sa tête des scènes fantastiques, brodant des variantes, se demandant ce qui serait arrivé si...

Depuis le tout début du film, il s'était senti totalement solidaire du héros dont il pouvait sentir par moments la peur dans son propre ventre, comme si c'était la sienne. Thomas pose enfin sa tête sur l'oreiller et s'endort bientôt.

À son insu, l'histoire des douze dragons commence déjà à bouger en lui, à se faufiler dans son inconscient, à battre doucement comme un cœur, comme une entité vivante. Elle a déjà commencé, dès le début du film, à proposer des rapprochements entre des images de la vie de

Thomas et celles du film, à jumeler la vie du héros avec celle d'un écolier étrange, sensible, entraîné malgré lui dans une affaire difficile à maîtriser. L'histoire progresse maintenant, à la faveur de la noirceur, créant dès lors, de façon souterraine et secrète, des fraternités étonnantes entre la surface du monde visible et les mouvements terrifiants des dragons des profondeurs.

Tout comme Ivanohé, le destin de Thomas prend une tournure si inattendue que même les adultes ignorent la suite des choses, l'attitude à adopter. Personne n'a de mode d'emploi, ne sait comment rétablir la situation. Il faut inventer des ruses, des solutions à des problèmes jamais rencontrés, prendre les bonnes décisions. Fuir est exigeant. Avoir peur, fatigant.

Thomas rêve que sa vie et lui sont arrivés à la fine pointe d'un parcours, au bout d'un chemin qui n'est plus tracé d'avance. Un chemin qui n'existe sur aucune carte. Et qui s'arrête devant un précipice. Ça donne le vertige. Il doit le tracer au fur à mesure et l'inventer. Nul n'en connaît l'issue. Thomas se sent aussi démuni que le jeune Ivanohé apercevant un dragon pour la première fois.

La nuit de Thomas est peuplée de rêves et d'ombres, de feu, de nuages en forme de dragons qui tournoient au-dessus de lui. Il a chaud. Il frissonne.

Le jeune dragon femelle a enfin repéré clairement sa cible. Il est prêt. Sa curiosité est grande. Si, autrefois, il en était tout autrement, les rêves sont maintenant le seul point de contact entre dragons et humains. Les seules rencontres possibles s'effectuent à la faveur du sommeil. L'immobilité et le calme de la nuit permettent aux fabuleuses créatures mythiques d'ajuster leur vision infrarouge et de se glisser dans les images vivantes qui se forment et se déforment sans cesse sous les paupières des vivants et qu'on nomme rêves.

Malgré son excitation, notre dragon progresse avec précaution, par cercles concentriques, avec de plus en plus de précision à mesure qu'il s'approche. Voler n'est pas exactement un jeu d'enfant lorsqu'on a cette taille et des ailes si petites. Passer inaperçu est un défi lorsqu'on sent le soufre à des lieues. Lorsqu'on n'est pas familier avec un environnement. Le treizième dragon manque peut-être un peu d'expérience, mais pas de détermination. L'approche n'est jamais facile. On le lui a dit. Il ne va pas s'arrêter en si bon chemin.

Comment réussir? Comment se glisser dans le rêve de ce jeune être humain sans risquer d'y rester coincé? Il pourrait essayer la séduction. Il souhaite seulement faire connaissance. C'est ce qu'il dira bien sûr. Il ne dira rien. Non. Ce ne serait pas prudent. Pas de face en tout cas.

Il se placera derrière lui. Il lui faut éviter d'être vu et hop, se saisir... Non, cracher le feu d'abord pour affaiblir l'enfant. Le surprendre et le terroriser. Ne pas trop l'abîmer quand même. Il compte bien le livrer vivant. Toute connaissance des humains est considérée comme un trésor par les gardiens. Ils donneraient cher à qui leur apporterait des détails juteux, des faits précis, des observations profitables. Livrer un humain en personne serait une consécration.

Ce sera sa chance. Les Honorables n'en seront que plus admiratifs devant l'audace d'une jeune femelle. Il faudrait ligoter l'enfant... non, le saisir par surprise, le pincer dans ses serres, oui, c'est ça. Il le déposera encore chaud aux abords du Cercle sacré. Les gardiens auront tôt fait d'avertir les douze. Il fera la révérence. Jouira de leur ébahissement…

Comment se comportera Thomas? Il aura peur à sa vue, c'est certain, tous les humains ont secrètement peur des dragons, car leur puissance est sauvage et imprévisible. Il ne faut pas que l'enfant le voie.

Le dragon femelle mise sur la rapidité. Un humain qui a peur est une proie facile si on mène l'opération rondement. Et celui-ci sent la peur à des lieues. Il faut juste se dévoiler à la dernière minute, se montrer, le temps d'un battement de cil. De sorte que l'humain reste figé. N'ait pas le temps d'esquisser un geste. Le plus grand risque pour un dragon consiste à demeurer prisonnier des rêves de ceux qui le combattent, qui le blessent, qui le piègent. Un dragon vaincu dans un rêve se retrouve incapable d'en sortir. Il ne se relève jamais. Privé d'approvisionnement, de l'énergie vitale des siens, il s'étiole et meurt. Notre dragon le sait bien. Il a plus d'un tour dans son sac. Mais il hésite.

Comme un animal affamé qui meurt d'envie à l'idée d'une caresse ou d'un repas, mais n'ose se résoudre à accepter l'invitation de peur d'être capturé, le treizième dragon reste à l'écart du rêve de Thomas pour le moment. Il observe avec attention les scènes qu'il réussit à capter, le décor, les réactions de l'enfant. Il évalue ses chances en survolant en silence la maison de Cap-Desrosiers. Il y a beaucoup d'eau par là. Attention.

Il retiendra son souffle. Le garçon ne se méfiera pas. Il sera subjugué par l'ombre qu'il projettera et ne pensera pas à se retourner. Il ne faut pas qu'il se retourne. S'il me regarde, je devrai cracher immédiatement. Ne lui laisser aucune chance. L'odeur... camoufler son odeur...

Pendant que le dragon femelle perfectionne son plan d'attaque, ses forces vitales déclinent insensiblement. Elles sont chaque jour plus faibles depuis qu'il a quitté son territoire et qu'il demeure éloigné des siens. Celles du garçon aussi. Le temps presse. Jamais un moment aussi propice ne s'est présenté.

Quelque chose fait pourtant hésiter notre dragon... quoi donc ? Qu'y a-t-il ? Une sorte de pressentiment, une sensation de danger... L'intuition que quelque chose se cache, se dérobe à sa vue.

Soudain, il sait !

L'enfant n'est pas seul !

Des présences furtives rôdent autour de lui et de ses rêves. Des alliés vont et viennent, veillent. Des êtres amis, expérimentés et bienveillants à son égard.

Chapitre 10

Le Retour

Thomas est de retour à Pointe-à-Cadieux, enfin, après une douzaine de jours hors de la ville. Il se sent plein d'une confiance nouvelle. Heureux d'être de retour. Hier, lorsqu'ils sont descendus de voiture, ils n'ont trouvé aucun journaliste, aucun voisin, aucun curieux. La maisonnée entière les attendait, ses grands-parents et lui. Sa mère, son beau-père... Aube s'est jetée dans ses bras en brandissant une pile de dessins faits expressément pour son grand frère et en le couvrant de petits baisers excités. Même Louis-Éric l'a accueilli gentiment. Sans bourrade ni mauvaise blague. La grosse surprise cependant était restée derrière tout le monde. Lorsqu'ils se sont écartés :

— Papaaaa ! a crié Thomas en se lançant dans ses bras et en enfouissant son émotion dans le blouson de cuir du colosse, venu du Vermont pour la circonstance.

Thomas avait réussi à communiquer avec l'un ou l'autre de ses parents
à peu près chaque jour. On s'était montré inventif, on avait utilisé différents
stratagèmes. Mais une conversation au
téléphone ou par courriel, ou même par
visio-conférence, c'est quand même moins
bien qu'une présence « en personne ».
Désormais, tout va reprendre son cours.
L'ordre du monde est rétabli. Thomas est
joyeux. Il se sent guéri et tout neuf. Il
n'a pas été malade, mais il avait l'impression que des nuages noirs traversaient sa
tête, menaçant d'éclater à tout moment.

Aujourd'hui, dimanche, il va rencontrer tout à l'heure le psychologue monsieur
Amydonee, qui a accepté de se déplacer
jusqu'à la maison de la famille Simoneau-
Bégin. Il est avec les deux « René » en ce
moment. Thomas s'adonne allègrement à
son jeu de Lego préféré, que Louis-Éric
partage avec lui de bonne grâce.

Avant même de s'asseoir, Thomas an-
nonce au psychologue qu'il va bien, qu'il est
particulièrement heureux d'avoir revu son
père, qu'il n'avait pas vu depuis le début

de septembre, lors de la longue fin de semaine de la fête du Travail. Le repas de ce soir, qui doit réunir toute la famille, grands-parents inclus, sera une fête, d'autant plus que son anniversaire y sera souligné, un peu à l'avance puisqu'il aura treize ans le treize décembre. Thomas bavarde gentiment, sans ressentir le malaise qui l'étreignait lors de la première rencontre. Monsieur Christian se montre amical et chaleureux.

Lorsque Thomas mentionne son prochain retour à l'école, le psychologue en profite pour le questionner. La date n'est pas encore fixée, mais Thomas croit que ce pourrait être mardi, lorsque son père repartira et que la directrice aura donné son OK. Il se sent prêt et heureux de revoir ses camarades, de reprendre la routine d'avant, de retrouver ses amis. Ses parents ont mis en place un dispositif pour le protéger.

— Je ne serai pas seul pour les trajets. Mon cousin sera avec moi. Avec nous.

Étienne, le cousin costaud, a en effet accepté d'accompagner Thomas et Louis-Éric à l'école matin et soir. Jusqu'à ce que la situation soit réévaluée. C'est rassurant pour tout le monde.

111

— Et puis, les journalistes, ils n'ont pas le droit de m'interroger sans mes parents !

— Ils ne peuvent rien me demander. C'est la loi. Je vais même pouvoir prendre des photos d'eux avec mon iPhone... celui que j'ai demandé pour ma fête. J'espère que je vais l'avoir. Je vais appeler les patrons des journaux et leur vendre mes photos ! Ça sera super drôle !

Monsieur Christian ne rit pas, mais revient sur cette impression « qui troublait tant Thomas », la dernière fois, soit la sensation d'avoir flotté hors de son corps, au plafond de la classe. Thomas parle alors de **rêve lucide**, mais le psychologue n'a pas l'air de trop savoir ce que c'est. Thomas doit le lui expliquer :

— C'est comme un rêve, sauf que c'est plus clair, qu'on a l'impression d'être là en vrai. On ressent tout comme dans la vraie vie, les détails et tout, sauf que c'est un rêve.

Lorsque M. Christian lui demande d'évaluer, sur une échelle de un à dix, la réalité de la sensation d'avoir flotté dans les airs, Thomas réfléchit et répond :

— Cinq sur dix.

Il ne nie rien, mais il précise que si ça avait l'air vrai, ce n'était pas en train d'arriver vraiment.

— C'était une illusion, parce que ça ne se peut pas !

— Plusieurs élèves de ta classe ont pourtant déclaré que ton enseignante n'avait pas réussi à saisir ton bras. Tu te souviens bien de ça ? Qu'en penses-tu, douze jours plus tard ?

— Hé bien, c'est vrai, j'ai pas menti. J'ai rien senti.

Thomas se fait un peu prier pour expliciter. Il dit finalement que c'est un secret de famille qui fait de lui quelqu'un **d'Intouchable** dans certaines circonstances.

— Ah ? Dans quelles circonstances au juste?

— ... sais pas... C'est pas moi qui décide en tout cas. C'est comme dans les rêves. Ça peut arriver. Mais on sait pas quand. On peut pas contrôler ses rêves...

— Tu crois que ça t'arrivera encore ? propose le psychologue, l'air peu convaincu.

— Je ne sais pas.

— Tu le souhaites ? Tu aimerais te sentir à nouveau invulnérable ?

— Oui, c'est le fun, être invulnérable, mais... quand c'est arrivé, je savais pas que je l'étais.

— Tu veux dire qu'à ce moment-là, tu ne te sentais pas nécessairement invulnérable ?

— Oui, c'est ça. Ça m'a fait peur. C'était la première fois...

— T'as un peu paniqué ? suggère monsieur Christian

— Oui, avoue Thomas, vaguement honteux.

— Et si ça arrivait de nouveau ? Par exemple si une autre enseignante ou une autre personne se mettait très en colère contre toi, tu réagirais comment ? demande monsieur Christian

— Comme il faut, je pense. Je serais pas impoli, rien, mais j'aurais pas peur cette fois-là. Je crois que je dirais : c'est pas moi ! Arrêtez de m'accuser. C'est tout.

— Et si elle te serrait le bras pour vrai cette fois ?

— Elle ne peut pas. Je sais que les enseignants n'ont pas le droit de faire ça. Même si on est tannants et tout. Elles n'ont pas le droit de nous faire mal.

— Tu crois que mademoiselle Laure-Élyse voulait te faire mal ?

— Oui... elle était comme folle. Toute rouge. Pas normale. Ça m'a fait peur. Elle avait des yeux bizarres. Maman dit qu'elle était sans doute malade, là, pas bien dans sa tête à ce moment-là. Elle crie souvent, mais elle m'avait jamais pincé avant.

— Tu es un peu inquiet à l'idée qu'elle voulait te faire mal?

— ...Pas vraiment. Un peu. Je sais maintenant. Je lui ferais face. Je lui dirais qu'elle n'a pas le droit. C'est tout. Si elle me pince quand même, je sors mon cri de guerre ! Je lui donne un coup de pied dans les jambes. Mais elle pourra pas me faire mal : je suis un **Intouchable**.

Thomas répète qu'il ne peut pas trop en parler puisque c'est un secret de famille. Il peut lui parler des dragons, par contre, dans le détail : comment on les apprivoise, comment on les combat s'ils se montrent trop rébarbatifs, comment ils se comportent, comment on doit ne jamais les perdre de vue, mais au contraire, les regarder en face, se placer toujours face à eux, ne jamais présenter son dos à un dragon.

Le garçon réalise, en répondant aux questions du psychologue qui l'écoute avec attention, que si cette aventure lui a fait très peur, la peur n'est plus là. Envolée. C'est tout. Il ne sait pas trop expliquer... Son voyage l'a changé. Le film l'a changé.

Il avait peur d'être fou, de faire rire de lui, d'être rejeté par les autres comme quelqu'un de « bizarre », de fêlé, de naïf. Peur d'être puni pour quelque chose qu'il n'avait pas fait, ensuite peur d'être puni pour s'être sauvé de l'école. Peur aussi des journalistes. Pas tellement des journalistes eux-mêmes, il croit que les adultes avaient plus peur d'eux que lui-même, mais peur à l'idée d'affronter cette meute criarde, pressée, agressive, envahissante, qui le pourchassait jusqu'à travers les fenêtres, le pressait de questions auxquelles il ne savait pas quoi répondre. Peur d'avoir à expliquer son aventure, à raconter quelque chose d'impossible à croire. L'impression qu'il y avait des choses impossibles à expliquer à des journalistes qui allaient ensuite les publier partout... qu'on allait se moquer... L'envie de se sauver très loin.

Il parle de son aventure à monsieur Amydonee comme du treizième dragon qu'il a eu à affronter. C'est peut-être, dit-il, sa « **mission** » ? Comme celle d'Ivanhoé dans le film. Thomas doit raconter presque tout le film visionné en Gaspésie. Il le connaît par cœur, il l'a vu trois fois en trois jours. Ça expliquait très bien les dragons. Il y avait douze dragons, chacun portait un nom comme : Ridicule, Terreur, Misère, Mortel, etc. Ils représentaient des peurs vécues par la population. Il fallait qu'Ivan-hoé connaisse le nom de chaque dragon avant de le combattre pour le vaincre.

À un moment, le lendemain du visionnement peut-être, Renelle avait demandé quel nom portait donc le dra-gon qu'il avait à affronter, lui. La réponse s'est fait attendre... Peu de temps après, Thomas avait réalisé un dessin magnifique et l'avait intitulé : **Le treizième dragon.** C'était venu tout seul. Comme ça. Thomas savait que monsieur Christian serait inté-ressé à le voir. Il le lui avait apporté.

Ce film sur les dragons était vraiment formidable. Il pourrait en parler pendant des heures. Thomas explique qu'il en a rêvé plus d'une fois. Qu'à chaque rêve, il comprenait de mieux en mieux comment affronter son dragon à lui. Le film lui avait appris une chose importante : Il vaut tou-jours mieux affronter un dragon que de le fuir, car les dragons perçoivent mieux leurs proies de dos que de face.

— C'est à cause de l'effet miroir...

— Et c'est quoi cet effet... miroir, demande le psychologue.

— C'est comme un miroir que le dragon voit devant lui, qui est un peu flou... comme quand l'asphalte est très chaude ou comme dans les films de désert...qu'on dirait de l'eau au loin... tu sais ? Le dragon se voit un peu dans le miroir et te voit en même temps à travers lui, mais il te voit mal, c'est pas clair pour lui.

— Ah bon ! Mais quand on est de dos, il voit quoi, le dragon ?

— Il te voit très net.

— Mais pas de face ?

— Non. Là, il te voit mal. C'est son point faible. Il n'a pas une bonne vision peut-être ou bien c'est à cause de nos yeux à nous... ça je sais pas.

Monsieur Christian regarde Thomas sans rien dire. Il ne comprend peut-être pas bien. Thomas essaie d'expliquer mieux.

— On a de meilleures chances de gagner contre un dragon ou contre un problème grave si tu veux, c'est pareil, en le regardant en pleine face. Parce que le dragon, ou le problème, nous perçoit mal quand on est de face. On peut le voir venir sans qu'il nous voie bien, le viser, échapper à ses flammes avant qu'elles nous brûlent. Puisque ses flammes sont sa meilleure arme.

Thomas sent que le psychologue est étonné. Il reste silencieux et songeur. Alors Thomas rajoute :

— Ça ne me dérange plus, des paparazzi. Ça ne va plus durer longtemps. C'est peut-être même fini à l'heure qu'il est. Je vais redevenir un enfant comme les autres.

Monsieur Christian lève un sourcil.

— Comme les autres, sauf que je suis « Intouchable ». Je peux pas être blâmé parce que ma prof a fait une crise. D'ailleurs, la preuve ? Elle a pas réussi à me faire mal.

— Tu peux m'en dire un peu plus sur les Intouchables ?

— Ça arrive parfois, dit candidement Thomas. On n'y peut rien. On est fait comme ça.

— Qui ça, on… ?

— Dans la famille.

— Tu veux dire que d'autres personnes de ta famille sont des Intouchables ?

— … Mmm, on peut dire ça !

— Comment tu le sais ?

— Je peux pas le dire. Je le sais c'est tout. Peut-être pas ma sœur... On ne sait pas encore, pour elle.

— Ah !... et pour toi, on sait ?

— Oui, on le sait maintenant.

— Depuis quand tu le sais? insiste le psychologue.

— Depuis cette semaine. Mais dans le fond, je l'ai toujours su, senti en tout cas. C'est un secret de famille. Je peux pas en parler plus.

Chapitre 11

EXTRAIT DU SECOND RAPPORT AMYDONEE

Je revois le jeune Thomas Jensen après une douzaine de jours passés en compagnie de ses grands-parents maternels, en dehors de la ville. Pour l'historique des déplacements et des événements marquants de ces derniers jours, voir le résumé du témoignage des grands-parents à l'annexe A du rapport.

Le patient a effectué mentalement un revirement à cent quatre-vingts degrés en un temps remarquablement court. Il a décidé d'affronter ce qui le terrorisait. D'y faire face. Il a réalisé, entre autres, qu'on était plus effrayé pour lui qu'il ne l'était lui-même. Son assurance m'étonne et j'ignore comment il a pu, en un peu moins de deux semaines, changer sa vision des choses à ce point. De victime traquée et inquiète, il se perçoit maintenant comme un héros disposant de pouvoirs secrets.

Bien que basé sur des fantasmes relevant de la pensée magique, le virage n'en est pas moins réel. Je dois dire que certains de mes patients mettent parfois des années à remettre en action leurs capacités, à réparer la confiance en eux-mêmes, à la suite d'un traumatisme moins important. La résilience que ce recadrage apporte est tellement rapide et étonnante que j'émets un doute sur sa durabilité. Cependant, c'est le portrait indéniable de la situation au moment de l'entretien.

Son échafaudage mental me semble assurément bienfaisant pour son « estime de soi ». Cela lui a redonné du pouvoir sur des événements dont il était, il y a deux semaines, la victime. Son discours a changé. Son humeur aussi. Il se montre détendu, enjoué, rieur. Je me vois donc mal intervenir à ce sujet pour l'instant. Je mets cependant une note au dossier : à investiguer dans une semaine. Son invulnérabilité aura peut-être, d'ici là, été rudement mise à l'épreuve.

Lorsque je l'interroge sur les journalistes et sur l'acharnement dont il risque de faire à nouveau l'objet, (ce qui a occasionné, on s'en souviendra, le départ du domicile familial, deux fuites de nuit, une absence prolongée de l'école), il serait tout à fait normal que l'attitude de l'enfant dénote angoisse et anxiété. Or, il n'en est rien. L'enfant réagit très simplement à la perspective que des journalistes se montrent intéressés et curieux à son endroit. La possibilité qu'ils le poursuivent fait même naître en lui un sourire coquin : il se promet de leur faire des grimaces, de changer de trottoir, de se cacher la figure avec sa tuque, et même de prendre des photos d'eux. Il se promet aussi de ne rien dire qu'en présence de ses parents.

La famille a décidé que, si nécessaire, une conférence de presse pourrait être convoquée. Thomas répondrait aux questions des journalistes en présence de ses parents et d'un avocat ami de la famille. Il a déjà commencé à s'exercer à répondre, comme à un jeu, pendant le trajet de retour avec ses grands-parents, à toute une série de questions embarrassantes, destinées à lui faire perdre son sang-froid, des questions susceptibles de lui être posées par des journalistes. Il n'y voit plus de problème.

Lorsqu'il revient sur les événements, il se justifie en disant qu'il n'avait rien fait de mal, qu'il est revenu rapidement à la maison. On l'a d'ailleurs félicité de sa décision, de ses réactions.

Il ne voulait pas faire une fugue, juste s'éloigner un moment d'une situation dangereuse, hors de contrôle. C'était, dit-il, un besoin de se protéger, de retrouver la tranquillité. La mère, madame Simoneau, a obtenu de la directrice qu'on ne revienne pas sur cet incident à l'école. Les élèves ont été rencontrés par un psychologue. Ils sont prêts et bien disposés au retour de Thomas. Alors il ne craint rien. Pour lui, c'est réglé. Il n'est coupable de rien.

Il y a une question qu'il redoute pourtant. Nul ne semble savoir ce qu'il est advenu de mademoiselle Laure-Élyse. Elle serait encore en convalescence. Les élèves de sa classe ont été « incités » par la suppléante à lui préparer une carte de prompt rétablissement en anglais. Thomas se félicite de ne pas avoir été là. Il n'aurait pas eu envie de le faire. Il garde une certaine frayeur au souvenir de l'agressivité qu'elle lui a manifestée ; il redoute le moment où elle reviendra en classe. Il espère qu'elle sera redevenue « normale ».

Si les journalistes ou ses camarades lui demandent comment il se fait que les doigts de l'enseignante soient passés à travers son bras, il m'assure qu'il dira en riant :

— Ça se peut pas, voyons ! C'est impossible !

— C'est vraiment ce que tu crois ?

— ... Ben oui.

Il hésite un peu pourtant, revient sur le fait qu'il est Intouchable, mais ne peut pas en parler davantage.

— Juste à toi, maman a dit que c'était O.K. Mais tu ne dois pas le dire. À personne. Secret professionnel, elle a dit, maman.

— Et quand on veut faire du mal à un Intouchable, nos doigts peuvent parfois passer à travers lui ?

... mmmm non ! Ça. Ne. Se. Peut. Pas !

— C'est pourtant ce que certains de tes camarades ont dit avoir vu. Et c'est ce que tu m'as dit la semaine dernière…

— Je me suis trompé. J'ai pensé ça au début. Mais ça ne se peut pas. C'est *une illusion.*

L'enfant me fait cette dernière réponse sur un ton légèrement agacé, comme si, soudainement, il en avait marre de cette discussion. Sa belle assurance commence-t-elle à se fissurer à l'idée d'être bombardé de questions ? Je lui présente son dessin très explicite exécuté lors du dernier entretien. Il ne se montre ni troublé ni mal à l'aise par les contradictions entre les deux versions des faits. Il dit que c'était bien comme dans son « rêve » en effet.

Il commente le dessin réalisé à mon intention pendant son séjour en Gaspésie :

— C'est mon jumeau invisible, déclare-t-il avant même que je l'interroge.

— Ton... Il est avec toi, présentement ?

— Mais non ! C'est dans un rêve.

— Un **rêve lucide** ?

— Peut-être...

— Ah ? Et avec quoi se battent-ils contre le dragon?

— Ils se battent pas voyons ! Ils font un film !

— Mais qu'est-ce qu'ils tiennent alors, comme ça au bout de leurs bras ? Ça ressemble à des armes.

— C'est une caméra et un micro !

Revenir sur ce point lors du prochain entretien la semaine prochaine.

Au sujet des incidents qui ont suivi sa fugue (l'exercice d'urgence impliquant toute l'école, l'intervention musclée de deux policiers sur leur collègue féminine déjà sur place, les soupçons de la présence d'un rôdeur dans la cour, etc.) l'enfant ne s'en montre pas vraiment troublé, n'y ayant pas participé. Il n'a appris ces détails qu'après coup, par ses camarades, par la télévision ou par ses parents. Le sort des policiers suspendus et la responsabilité de l'école dans le déclenchement de l'exercice de confinement ont, en effet, déchaîné la colère de plusieurs parents d'élèves sur les réseaux sociaux et dans les lignes ouvertes la semaine dernière. Thomas se montre plutôt indifférent à ces aspects qui le dépassent.

Mis au courant que certains de ses camarades avaient conclu à un fameux tour de magie de sa part, l'enfant affiche un sourire plutôt ravi. Il me fait part de son désir de devenir magicien et de ses débuts dans ce sens. Nous examinons ensemble les avantages et les inconvénients de laisser courir une telle rumeur en dressant une liste des pour et des contre. Je laisse à l'enfant le soin de choisir l'attitude qu'il jugera appropriée.

Pour ma part, je dirais que la nouvelle version de Thomas me semble suffisamment réaliste et plus plausible que celle de la dernière rencontre. En effet, une partie de son expérience racontée lors du premier entretien demeurait nébuleuse, subjective, et restait, à tout le moins, à élucider. S'il existe de nombreux témoignages d'expériences hors du corps et de rêves lucides, sur le Net et dans des articles bien documentés et crédibles, je n'ai rien trouvé concernant une expérience d'un corps devenu « traversable », non plus solide, mais ressenti comme « gazeux » ou « vide ». Aucune mention, même pour un temps très court.

Or, c'est ce qu'affirmait avoir vécu Thomas, avec une sincérité que je ne remets pas en doute.

Que le recul lui ait permis de se rendre compte de l'irréalité d'un tel fait m'apparaît sain et raisonnable. Je serais curieux d'interroger l'enseignante à ce sujet, mais on me dit qu'elle est encore sous observation à l'hôpital et ceci dépasse nettement mon mandat.

J'autorise donc le retour en classe, tout en faisant parvenir un résumé des conclusions du présent rapport, par courriel, à la direction de l'école.

Je demande à revoir le patient le vendredi 4 décembre prochain.

Christian Amydonee

Pointe-à-Cadieux, le 29 novembre 2013

P.-S. : Le résultat des tests sanguins est négatif. Rien d'anormal n'a été décelé dans le sang du jeune patient.

Chapitre 12
Suites médiatiques

LA VOIX DU QUÉBEC,
Votre quotidien provincial depuis 1913,
Mardi 1ᵉʳ **décembre 2013**

Édith Madore, Collaboration spéciale

Deux policiers de Rimouski ont été suspendus pour un temps indéterminé, à la suite d'une intervention jugée inutilement musclée à l'école Primaire La Cigale, *dans le quartier de Pointe-à-Cadieux, le 13 novembre dernier.*

L'aventure a fait beaucoup jaser dans la municipalité et soulevé un torrent de commentaires acerbes sur les réseaux sociaux. Le 13 novembre dernier, les agents Marc Drouin et Mario Pérusse avaient fait irruption dans une classe de sixième année, et, devant des élèves terrifiés, avaient ordonné à madame Mirella Dionne, une policière arrivée avant eux sur les lieux pour couvrir un incident concernant une enseignante, de jeter son arme ; ils l'avaient menottée et jetée par terre sans ménagement, et même avec agressivité, selon les témoignages recueillis, se comportant comme s'ils étaient en présence d'un dément à maîtriser, faisant fi de la présence des enfants.

Or, *La Voix du Québec* a appris que l'agent Pérusse, qui prétendait ne pas connaître la policière, pouvait avoir des raisons personnelles de lui en vouloir, ce qui expliquerait peut-être l'excès de zèle dont son coéquipier et lui ont fait preuve à l'endroit de la policière. L'agente de police est en effet la jumelle identique d'une dame qui travaillait, il y a deux ans encore, au bar *Right Dear,* que Mario Pérusse fréquentait assidûment lorsqu'il n'était pas en service. Cette jumelle, Maryse Dionne, après avoir vu dans les journaux la photo des deux agents impliqués dans l'affaire de l'école La Cigale, a reconnu l'un d'eux. Prenant alors connaissance des circonstances dans lesquelles s'est retrouvée sa sœur Mirella, elle a immédiatement communiqué avec elle afin de lui raconter ce qu'elle savait de cet homme.

Mario Pérusse se serait en effet montré à maintes reprises insistant avec elle, la poursuivant de ses avances, allant jusqu'à la suivre à sa voiture au moment où elle quittait le bar, dans le but d'obtenir ses faveurs sexuelles. Maryse Dionne affirme avoir repoussé chaque fois les avances de Mario Pérusse, tout en avouant avoir eu de plus en plus de difficulté à le contenir. Sachant qu'il était policier, elle avait alors préféré changer d'emploi plutôt que de porter plainte, ne croyant pas à ses chances d'obtenir justice.

En discutant des incidents dont elles avaient toutes deux été victimes de la part du même homme, les jumelles ont réalisé que, croyant sans doute avoir affaire à Maryse lors de son entrée dans la classe ce jour-là, M. Pérusse pourrait bien avoir confondu les deux sœurs et trouvé le moment bien choisi pour satisfaire une petite vengeance personnelle. C'est ce qui expliquerait l'agressivité excessive dont il a fait preuve à l'endroit d'une collègue qui ne représentait de menace ni pour lui ni pour son coéquipier.

C'est le témoignage de sa jumelle, (leur ressemblance est frappante) qui a décidé l'agente Mirella à déposer hier, en cour civile, une plainte contre les deux agents pour coups et blessures et atteinte à sa réputation. L'affaire est à suivre.

Journal de Thomas,
vendredi 13 novembre 2033

Aujourd'hui est un jour particulier pour moi. Tu as trois ans, Louis. Pour toi, c'est ton anniversaire et c'est bien excitant. Pour moi, c'est bien plus.

Ta naissance a soulevé en moi des émotions si fortes et un torrent d'amour que je ne me croyais pas capable de ressentir. Je n'avais pas encore trente ans lorsque tu es né. Ce jour-là, Louis, je me suis promis solennellement, je l'ai dit à ta mère, que j'écrirais pour toi mon fils, l'histoire incroyable de cette date, le treize novembre, et des souvenirs qu'elle déclenche chaque année en moi.

Car voilà que la date que tu as choisie pour faire ton entrée dans le monde, était déjà pour moi une date marquante. Comme s'il y avait là un message caché. Comme si l'univers cherchait à me dire que toi et moi, nous participions au même mystère. Que le fabuleux secret de famille dont je suis l'héritier allait continuer à vivre à travers toi, mon fils.

Vingt ans ont passé depuis le jour où j'ai vécu cette histoire, vingt ans où j'ai nié devant tous, et gardé pour moi la vérité que je m'apprête à te révéler. Ton arrière-grand-père René, qui m'a dévoilé ce secret, m'a toujours soutenu et encouragé. J'aurais aimé que tu le connaisses.

Je t'écris aujourd'hui, car je veux que tu n'ignores rien de ce pouvoir. Afin que tu puisses, le moment venu, t'en servir à ton tour et reconnaître tes dons. Je ne doute pas un instant que tu sois toi aussi un Intouchable. Ta tante Aube a découvert peu après moi, à l'âge de sept ans, qu'elle aussi avait ce don.

Je veux que, lorsque tu seras majeur, tu puisses choisir de révéler ce secret si tu le juges bon et lorsque tu le jugeras nécessaire.

Le monde a bien changé depuis vingt ans. La parapsychologie est maintenant étudiée dans les universités et reconnue comme une science. Les témoignages de personnes ayant vécu des phénomènes hors du commun abondent et ne sont plus systématiquement écartés. Des bibliothèques entières spécialisées sur le sujet sont apparues sur le Net. Les scientifiques ne nient plus les possibilités inouïes d'univers parallèles relevant des onze dimensions maintenant reconnues par l'astrophysique. Cependant, il reste encore pas mal de sceptiques ; certains sont même prêts à lancer des campagnes de dénigrement et de dénonciation. Alors, il faudra user de discrimination, mon petit gars.

Il faudra bien pourtant qu'un jour le monde s'ouvre et entende toutes les histoires que l'on qualifie encore parfois d'incroyables et d'impossibles. Voici la mienne, Louis.

Chapitre 13

RÉCIT D'UN 13 NOVEMBRE

J'étais debout.

Toute mon attention tendue pour rester debout.

Devant elle.

Devant les autres.

Elle était furieuse, et ses mots faisaient mal.

Elle était furieuse même si ses mots disaient le contraire.

Elle voulait mon bien. Est-ce que je comprenais ? Elle voulait que j'apprenne ce qui est bien.

Entre ses dents sifflait la colère.

Je n'avais rien fait de mal, tu sais.

Ses mots « coups de poing » cognaient et résonnaient, comme des coups de tambour. Ses yeux crachaient un feu de folie.

Elle parlait trop fort, sur un ton de reproche qui tordait l'estomac.

J'ai pensé que j'allais vomir.

L'estomac. Laisse, Thomas. Laisse.

Ces mots ont résonné dans ma tête. Je me suis remis à respirer. J'ai ressenti un grand calme dénouer mes muscles, mon dos, desserrer mon thorax. J'ai nettement senti mon cœur, je l'ai même vu, dans sa petite cage d'os, mon cœur à moi, entouré de tissus moelleux, tranquille.

Et ses battements paisibles. Une merveille !

Mon cœur me murmurait des choses rassurantes.

Je me suis senti soudain léger, loin du brouhaha qui blessait mes oreilles, en bas. Comme si je flottais. J'ai réalisé que je voyais maintenant tout à partir d'en haut.

Un oiseau perché. Un ballon flottant dans l'air fluide.

Voilà comment je me sentais.

Sans savoir comment c'était arrivé.

Un ouragan rouge sortait de la bouche de mademoiselle Laure-Élyse.

Force treize. La classe était figée. Comme en arrêt de mort.

Là-haut, il faisait bon. Rien de grave ne pouvait m'atteindre.

Je me suis rappelé, comme en un éclair, la joie d'être dans l'eau, l'été, au soleil. Le bonheur de voler, dans un rêve qui avait l'air si vrai, quand j'avais huit ans. Le plaisir de m'étendre sur l'herbe et de regarder bouger les nuages. L-e-n-t-e-m-e-n-t. Tout était lumineux et vaste.

En bas, des courants rouges se jetaient sur le corps du garçon resté là, c'était le mien, comme des vagues furieuses. Je reconnaissais mon corps. Je n'étais pas inquiet. Je regardais, c'est tout.

Je voyais se déchaîner une tempête que j'avais, répétait mademoiselle Laure-Élyse, déclenchée. C'était ma faute. C'est ce qu'elle disait, moitié en anglais, moitié en français. La prof d'anglais.

Elle brandissait son index tout près de mon nez. Au bout de son doigt, des flammèches crépitaient, comme un feu de Bengale.

De mon poste d'observation, je me souviens d'avoir trouvé cela drôle. Un doigt cracheur de feu.

Perché dans les airs, comme une caméra, j'ai vu les étincelles passer au travers de mon corps d'en bas. Je voyais très bien toute la scène, c'était plein de lumière douce... mon corps debout devant la classe, mes cheveux trop longs, mes jeans de cowboy, mon t-shirt bleu acheté sur le traversier de Saint-Siméon, lors des dernières vacances avec mon grand-père. Tous ces détails bien clairs.

Je me voyais avec une conscience claire et vaste, comme si l'instant était solennel. La colère de Mademoiselle passait au travers de mon corps sans le blesser. Comme s'il n'était que de la lumière. Comment cela était-il possible ? Je n'éprouvais aucune inquiétude, aucune douleur ; juste de la curiosité.

J'ai pensé qu'un super héros était venu à mon secours. Qu'il m'avait retiré temporairement de moi-même, le temps de laisser passer la tempête. À ce moment, je me suis rendu compte qu'il y avait quelqu'un avec moi, un être très gentil qui m'a dit : Regarde bien. Je regardais. La classe commençait à s'agiter, Louis-Éric faisait le projet de me dénoncer. J'ai demandé à l'ange, je crois bien que c'était un ange, si j'étais mort.

Il a souri et m'a dit que je devais retourner en bas.

Je ne voulais pas. J'étais si bien là-haut. Il a souri. Je me suis senti comme aspiré. L'être m'a dit : On va se revoir. On t'appelle en bas. Faut y aller.

Je suis retombé dans mon corps. Instantanément immergé dans une mer de malaise, le cœur au bord de la nausée, les pieds à l'étroit dans mes souliers lacés, les yeux vis-à-vis de ceux de Mademoiselle, qui me fixait de son regard hagard. Elle attendait une réponse. Et je n'en avais pas.

Je te jure que ça s'est passé comme ça.

Puis, le cri de mademoiselle Laure-Élyse m'a percé les oreilles.

Elle hurlait comme une folle. Ses doigts, je crois, étaient passés au travers de mon bras. Je n'ai senti aucun mal.

Le premier applaudissement est venu de Maïté. Spontanément. Je me suis tourné vers elle, comme si je m'éveillais d'un rêve. Je l'ai trouvée belle. Elle me souriait. Je te souhaite, mon fils, une Maïté à toi aussi, une amie comme elle dans ta vie. Je t'assure que ça fait une différence.

J'étais revenu dans mon corps et j'avais envie de pleurer. Je manquais d'air. L'ange n'était plus là. Maïté criait bravo ! Les autres étaient déchaînés. Ils riaient, criaient, regardant dans ma direction comme si j'étais la curiosité du siècle. Convaincus qu'un événement fabuleux venait de se produire, les élèves attendaient la suite, tout en applaudissant. Encore ! Encore !

Je me souviens d'avoir pensé : je dois me sauver. J'avais une seule idée en tête, sortir de là. Pour sauver ma peau. M'enfuir.

J'ai croisé la directrice, j'ai cru qu'elle allait m'attraper, mais elle avait d'autres préoccupations. Je suis rentré à la maison.

Après cette aventure, j'ai eu très peur d'être fou. Je ne comprenais pas. François Bégin, mon beau-père, me disait : dis-moi la vérité. Lorsque j'essayais, il ne me croyait pas. Seule, ma mère me défendait.

Pour fuir les journalistes, j'ai dû quitter la maison, me réfugier chez mes grands-parents, fuir avec eux jusqu'au bout de la Gaspésie. Et c'est là-bas, je peux le dire aujourd'hui, qu'il s'est produit une sorte de miracle.

Nous avions acheté un film qui a marqué ma vie : LES DOUZE DRAGONS. Je ne l'ai plus, mais je ne l'oublierai jamais. Je l'ai cherché tant et tant pour moi d'abord, et encore plus intensément depuis que tu es né, il est impossible d'en trouver une seule copie aujourd'hui. C'était l'histoire d'un garçon de mon âge qui devait affronter une armée de douze dragons. Bien que terrifié, il a peu à peu vaincu sa peur et réussi à apprivoiser un des dragons qui s'était blessé et qui avait été abandonné par les onze autres.

Comment ai-je fait pour comprendre que ce qui me terrifiait tant, cette enseignante hurlante, avoir à témoigner devant des journalistes, avoir à affronter le regard des autres de mon âge, c'était mon dragon à moi. Le treizième dragon que je devais apprivoiser, c'est-à-dire apprendre à connaître, comprendre ce qui faisait de lui un être dangereux, comment m'en protéger et peut-être même m'en faire un ami. Un dragon qui avait le potentiel de me détruire, mais qui pouvait aussi se transformer en allié indéfectible.

Mon grand-père Simoneau m'a révélé un secret de famille qui fait de moi et de ma lignée, et de toi par conséquent, un être capable de communiquer avec les dragons par le biais des rêves. Parce que grand-papa René, ma mère, ma petite sœur Aube et moi-même avons, chacun à notre manière et à notre époque, réussi à apprivoiser un dragon qui nous terrorisait, nous avons dénoué, pour toi et ta lignée, des destins hors du commun.

Tu es un Intouchable dans tes rêves. Intouchable tu resteras tant que tu feras face à ce qui se présente. Tu as le pouvoir d'apprivoiser les plus terrifiants des dragons. Le secret, c'est de ne jamais leur tourner le dos. Je te le dis, aujourd'hui. Je te le redirai encore, jusqu'à ce que tu aies confiance.

C'est comme ça que ça s'est passé pour vrai.

Sache que les forces de la vie sont incroyables et que les mystères existent. Aucune importance si certains ne le croient pas.

Longue vie, mon fils.

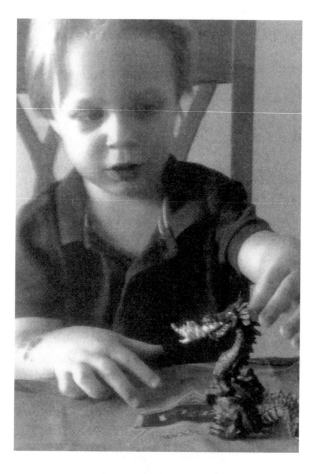

13 novembre 2033
Photo de Louis, 3 ans,
avec son bébé dragon reçu en cadeau.

Gisèle Desroches

Ma sœur aînée est née (ah ! ah !) avant moi. Elle est à gauche sur la photo. Quand je suis arrivée, elle s'était chargée de réclamer une maison, construite par mon père. À ma naissance, mon père a acheté une auto. À la naissance de mon frère, mon père a ouvert son propre bureau dans la maison. Il nous manquait un chien. J'ai plutôt eu deux autres frères et deux autres sœurs. Avec chaque naissance, sont arrivés d'autres bienfaits pour la famille. Un total de sept enfants, ce qui fait de 7 mon chiffre chanceux, car j'ai adoré vivre dans cette famille. Une de mes sœurs est née le 13. Elle a failli mourir quelques semaines plus tard. Cela a marqué mon enfance et peut-être inspiré quelques détails de cette histoire. Toute petite, je savais voler. Ensuite, j'ai un peu oublié, trop occupée à courir ici et là, à explorer partout et à taper sur mon petit bolo (je suis à droite sur la photo). Depuis ce temps, j'essaie de retrouver mon pouvoir. Je dois dire que j'y arrive parfois, car écrire des histoires pour les enfants me donne vraiment des ailes.

Remerciements

Merci à Domibou, à Florent et Florie, à Claire et Jo, mes deux exploratrices de sœurs, pour leur lecture, ainsi qu'à la formidable équipe des Quatre-Vents pour leur soutien. Merci également à Camille et Jeanne Fortin ainsi qu'à Félicia Ziba pour leur dessin. Et finalement, merci à Justin et Marc Beaulieu pour les photos.

INFORMATIONS SUPPLÉMENTAIRES

Extrait de : http://www.vendredi13.co.nr/

- La peur du nombre 13 s'appelle **triskaideka-phobie** ; celle du vendredi 13 : **Paraskevidé-katriaphobie. C'est la superstition la plus répandue dans la culture occidentale.** Ingénieurs et architectes alimentent la superstition : avec des gratte-ciel, des hôtels et des ascenseurs sans 13e étage, et avec des avions sans siège no 13, etc.
- Chez les Italiens, c'est 17 qui est le nombre malchanceux et non 13. C'est pourquoi, on ne trouvera pas de chambre 17, ni de 17e étage dans les hôtels, ni de siège n° 17 sur les avions de la compagnie italienne Alitalia.
- Des millions d'Asiatiques ont peur du chiffre 4. En effet, ce chiffre est identique, par sa pronon-

ciation, à celle du mot « **mort** », tant en mandarin, en cantonais qu'en japonais. Pour les Japonais, le nombre 4 est hanté car il se prononce « **shi** », qui signifie « **mort** ».

GARANT DES FORÊTS
INTACTES

Ce livre a été imprimé sur du papier Sylva enviro
100 % recyclé, traité sans chlore, accrédité Éco-Logo
et fait à partir d'énergie biogaz.

Achevé d'imprimer
à Montmagny (Québec)
sur les presses de Marquis Imprimeur
en janvier 2016

MARQUIS